VISA POUR LE RÉEL

Du même auteur :

Parcours improbables, L'instant même, 1986
Maisons pour touristes, L'instant même, 1988
Transits, L'instant même, 1990

BERTRAND BERGERON

Visa pour le réel

nouvelles

L'instant même

Maquette de la couverture : Anne-Marie Guérineau

Illustration de la couverture : Paul Lacroix

Photocomposition : Imprimerie d'édition Marquis

Distribution pour le Québec : Diffusion Dimedia
539, boulevard Lebeau
Ville Saint-Laurent (Québec)
H4N 1S2

Tous droits de traduction, de reproduction et d'adaptation réservés

© *Éditions de L'instant même*
C.P. 8, succursale Haute-Ville
Québec (Québec)
G1R 4M8

Dépôt légal — 2ᵉ trimestre 1993

Données de catalogage avant publication (Canada) :

Bergeron, Bertrand, 1948-

Visa pour le réel : nouvelles

ISBN 2-921197-21-9

I. Titre.

PS8553.E6747V57 1993   C843'.54   C93-096410-1
PS9553.E6747V57 1993
PQ3919.2.B47V57 1993

La publication de ce livre a bénéficié de l'aide financière du ministère des Affaires culturelles du Québec et du Conseil des Arts du Canada.

Un livre est un trajet.
Deux femmes m'ont accompagné
au cours de ce voyage.
Je leur dédie ce recueil.

À Danielle Dussault
et
Sylvaine Tremblay

Le reste de notre vie
n'a jamais été entendu.

I

Une langue étrangère

L'écriture de la nuit

Il y a dans l'amour autant de haine que d'amour. Quand je regarde Pierre, son assurance que rien, vraiment, ne justifie et qui me fascine pourtant, ou encore quand j'écoute ses certitudes quant à l'âme et aux esprits qui traversent le réel et les êtres à la manière du vent, un souffle invisible peut-être, mais que l'on ressent au plus profond de soi-même, toutes ces choses évidentes pour moi, qui n'effleurent même pas Pierre, qui attisent ses sarcasmes et moqueries, je le hais. Il m'est alors impossible de supporter l'idée qu'il s'approche, que ses mains ses lèvres sur moi. Mais son indifférence devient une morsure autrement intolérable, plus affolante encore. Je le hais, j'ai oublié comment vivre sans lui, sans du même coup ressentir au plus profond de moi une sorte d'errance qui donne à tous le même visage, à tous les gestes une équivalence folle dans l'insignifiance. Que Pierre se tourne vers moi, qu'il me sourie, et les choses reprennent leur place. Les esprits qui m'avaient désertée reviennent, me font habiter le présent. Un jour, je comprendrai peut-être ce qui, depuis notre première rencontre, me fait détester cet homme et me rend incapable de lui résister quand, avec une douceur qui n'est pas la sienne, il sème de vêtements le trajet jusqu'à notre lit. Où puise-t-il ces secrets qui me font m'endormir dans ses bras, abandonnée ? Même des choses aussi simples, des contradictions à ce point immédiates chez moi... il m'est impossible de parler avec lui. Car il se moque de ce qui lui échappe, il sait toutes les astuces pour brouiller, aux yeux des autres, ses propres limites. C'est un profane, il n'a pas d'âme, personne n'est aussi beau que lui dans le plaisir, il ne connaît alors d'autre mystère que mon ventre où il se perd. Mais sitôt qu'il s'est abandonné dans mes bras, qu'il a somnolé contre mon épaule, il se reprend, une machine à laquelle il faut répondre, qui demande des explications à tout, au moindre geste, à la plus petite parole. Et alors, il redevient ce qu'il est vraiment, un être étanche à tous les mystères du vent et à la libre circulation des esprits. Je hais cet homme, j'ai oublié comment on quitte un amant borné, il ne se trouve rien d'autre que les ruses de ses railleries pour me garantir contre les âmes quand c'est de moi qu'elles s'emparent pour se livrer aux cruautés du tourment.

Une fois, une seule, je lui ai raconté un rêve : je roulais à bicyclette. Je portais une robe fleurie — bien que j'abhorre ce genre d'imprimé —, les fleurs faisaient comme des taches, la robe collait à ma peau à cause du vent. Mais ce n'était pas là ce qui m'inquiétait. C'était plutôt une main, une main sans visage, une main qui tient quelque chose. Effrayée, je me suis réveillée en larmes. Et Pierre... Il est si gentil tant qu'on n'a pas mis de mots sur ce qui vous bouleverse, tant qu'il vous sent remuée dans ce moment d'avant les mots. Après que je lui ai eu raconté, je me suis sentie tellement diminuée dans ce qu'il disait, que ce n'était plus la peine de pleurer. Il avait lu sur ces choses, il savait, voilà ! Il connaissait des mots qui le protégeaient de mes appréhensions, de mes terreurs, contre ma détresse. Il parlait de déplacement, de condensation, il avait vidé la nuit de tout ce qui vous remue, de tout ce qui fait de vous quelqu'un à la merci d'on ne sait trop quoi, livrée à quelque souvenir qui ne réfère à rien, mais dont votre corps est traversé comme s'il s'agissait d'un orage. Pierre, lui, avait à sa disposition des mots qui vous réduisent plutôt à un être qui déraisonne, une machine qui se disloque, alors que le rêve soulève un voile, vous laisse dans cette certitude blessante : vous êtes telle que vous dit le rêve. Une main vous menace, et rien ne saurait être inventé pour vous protéger, vous garantir.

Jamais plus je n'ai raconté à Pierre quoi que ce fût de mes rêves. J'ai d'ailleurs, à partir de ce moment, fait davantage que simplement garder le silence sur les images de la nuit. Pour cela et pour le reste, je lui en ai voulu, je ne lui ai rien pardonné. Le pardon n'existe pas pour qui laisse aussi seule celle qu'il dit aimer.

Quand la voix du rêve me revenait le jour, au milieu d'une activité anodine, et que Pierre se trouvait là, je lui souriais, rien d'autre. J'ai découvert qu'il me suffisait de cela — lui sourire— pour que, petit garçon besogneux, il se retrouve en toute ignorance dans la solitude la plus épaisse. Alors je poursuivais simplement mes activités, il ne saurait rien de moi, de ces scénarios qui me viennent, ces images qui s'emparent de moi, des voix de la nuit quand elles me mêlent à leur propos, quand elles me souillent. Ce sourire, ce silence me le garderaient. Nous resterions les amants les plus liés du monde. Les êtres du rêve me traverseraient avec cette acuité qui lui demeurerait à jamais lettre morte.

J'en vins même à me cacher de Pierre. Ou plutôt à lui cacher mon corps. Je me souviens très bien du premier matin où cela s'est produit. Il était beau, tout sourire devant son café, à me regarder comme on s'ouvre à la merveille dont on se croit le seul usager. Il ignorait tout des êtres de la nuit, à

13

plus forte raison quand ceux-ci empruntent son visage... un petit garçon qui réussit bien à l'école !

Ce matin-là, je me suis éveillée avant lui, j'ai ressenti une douleur à la naissance des reins. Du côté droit. Songeant au rêve, j'ai tout de suite compris de quoi il s'agissait. Lui, il dormait.

J'ai enfilé ma robe de chambre, me suis levée sans bruit ; j'ai filé à la salle de bains, la glace de la salle de bains. La marque que je portais sur le haut des reins, apparemment, ne savait rien du déplacement ni de la condensation. C'était l'écriture de la nuit. Elle disait que le rêve porte ses mystères et ses êtres, que j'ai une peau sensible, un corps, que la nuit n'épargne personne, ne me garde de rien, et que si je ne faisais gaffe, Pierre me questionnerait sur cette marque, qu'il chercherait à me faire parler.

Et puis, une fois terminé le premier café, au moment où je m'apprêtais à remplir de nouveau les tasses, Pierre s'est également levé, il est venu vers moi. Il m'a prise dans ses bras, ses bras qui m'enserrent, ses mains qui se posent avec passion sur mes reins, j'ignore si je parviendrai à tenir la cafetière, je m'en veux de lui entrouvrir les lèvres, qu'il parvienne à trouver avec autant de facilité qui je ne suis pas. Alors il s'est produit ceci : je n'ai pas échappé la cafetière, elle ne s'est pas brisée contre le carrelage. Mais j'ai senti d'une manière aiguë l'une de ses mains, elle me pressait sur le côté droit, se posait douloureusement, sans que Pierre n'en sache rien, sans hésitation aucune.

Je n'aurais pas imaginé qu'il fût aussi simple de dissimuler. Ou plutôt d'obtenir la complicité de l'autre aussi facilement, sans la moindre résistance. Il fallait qu'un autre en lui, une ombre, il fallait que cette ombre filtre son regard. D'une certaine manière — je ne mis pas long à m'en rendre compte —, c'était sans doute cette ombre qui, le soir, me disait à sa place « bonne nuit » dans une langue autre, la langue d'un autre glissé en lui à son insu quand approchait le moment du sommeil. Car c'est encore Pierre qui tentait de me rassurer, *ne t'en fais pas, tu connaîtras un sommeil sans rêves, tu n'auras pas ces cauchemars, je te le promets*. Mes rêves l'ayant inquiété, il m'enlaçait, je m'en remettais à lui dans cette foi complice qui vous rend à ce que la tranquillité du quotidien ne saurait qu'un temps garder sous silence.

Progressivement, certains souvenirs me revinrent. Pierre ne m'avait-il pas lui-même, lors de nos premières rencontres — pensant en cela me flatter —, n'avait-il pas été lui-même le premier à me dire que je ne ressemblais pas à une femme d'ici, que j'étais trop étonnante avec ces yeux de Juive ? Un merveilleux profane qui se croit maître du langage, qui s'imagine l'auteur de ces effets magiques qui font s'allonger la femme désirée et l'amènent à gémir. Il avait simplement croisé un autre monde, ses paroles lui venaient d'ailleurs, il s'en croyait l'auteur lorsqu'il me chuchotait, dans ses reconnaissances après nos grandes fougues, *parle, mon amour, avoue*.

À présent, chaque fois qu'approchait l'heure du sommeil, il m'enlaçait, me faisait les promesses les plus graves contre l'agitation des rêves, personne ne me ferait de mal, et cette sueur qui me venait à la simple idée du sommeil et de ses scénarios, ce n'était là que le produit de mon imagination sauvage des dernières semaines. « Parle-moi », me soufflait-il avant la nuit. Et alors sans doute a-t-il toujours cru me chuchoter « bonne nuit » quand ses lèvres murmuraient distinctement « *Gute Nacht* ».

Et puis durant le sommeil, un être du rêve venait vers moi, il avait son visage, portait un uniforme, cette main inflexible qui manie des objets affolants, puisqu'il n'était aucun moyen auquel cet homme aurait renoncé, aucun instrument dans un scénario de maîtrise, pour me faire parler, pour m'amener à dire des secrets qu'une autre que moi, qui aurait eu mes traits, ces yeux qui plaisent à Pierre, une autre que moi s'obstinait à taire, se retranchant dans le mutisme au prix de sa souffrance, au prix de ces marques sur le corps, celles-là précisément que le matin, je ne tentais même plus de dissimuler à Pierre, puisque ses yeux ne savent pas lire sur le corps de l'autre l'écriture de la nuit.

Mazìn taïno

Il est vrai qu'à cette époque je m'ennuyais plutôt, comme cela se produit lorsque votre travail vous amène pour un certain temps dans une autre ville, loin du cercle rassurant des amis et connaissances, loin du bavardage sympathique qui donne l'illusion réconfortante d'être quelque part. Lorsqu'on est subitement déporté dans une ville autre, on reçoit vite comme une morsure légère mais durable cette sensation de se trouver en rupture avec tout.

Les soirées, la pause de midi et même, pour le lève-tôt, l'attente matinale avant le travail, on les sent venir avec une certaine appréhension. On ne sait trop où aller, pourquoi se balader là plutôt qu'ailleurs, pourquoi déjeuner à cette terrasse-ci ou prendre un verre dans ce café. Il ne se trouve plus rien pour vous arrimer à quelque chose. Les heures de loisir, en particulier, se succèdent dans une sorte d'insignifiance qui efface au fur et à mesure toute trace de votre passage. Vous êtes un élément mobile d'un décor sans bornes.

Je ressentais avec acuité cette impression d'étale dans le temps, d'interchangeable dans les lieux, d'équivalence entre tous ceux qu'on croise sans les connaître ; même dans ces moments où je me rendais au musée *Images de notre temps*, un lieu trouvé par hasard, une découverte bien légère pour qui ne s'est jamais trouvé d'aptitude contemplative. Mais l'entrée du musée était libre, et y circuler à l'heure du déjeuner me semblait préférable à un trajet aléatoire au travers de passants sans regard.

Comme les œuvres abstraites ne provoquent chez moi aucune transe mystique, que je n'ai pas de talent pour lire dans des droites verticales monochromes l'avenir de l'humanité ou le destin trouble d'une planète menacée, l'ensemble des œuvres, d'une salle d'exposition à l'autre, me laissait indifférent, me renvoyait à moi-même, à mes lacunes.

J'ai mis quelques visites au musée avant de remarquer une toile, figurative celle-là, et qui, suspendue à un simple mur de couloir, faisait tout aussi incongru que ma propre présence en ces lieux. Je m'approchai distraitement du tableau. C'est alors que le phénomène s'est produit. Pour la première fois. Sans que j'en prenne vraiment conscience. Un peu comme lorsqu'on se trouve dans un centre commercial, sourd à tout bruit toute voix et, plus encore, à la musique en conserve qu'on y diffuse, et que comme ça, intérieurement, sans qu'on le veuille, vous viennent à l'esprit les premières mesures de la *Pastorale* de Beethoven. Seulement là, au musée, devant le tableau du couloir, ce ne furent pas les premières mesures de la *Sixième* qui me vinrent à l'esprit, mais, avec le timbre rauque d'une voix de femme, des paroles, *i iéqué desderado mazìn taïno péquiné* puis *iéqué iéqué del péquiné pichita mané*, ces paroles inconnues dans une langue étrangère, *i iéqué desderado mazìn taïno péquiné*, alors que devant moi, sur la toile, le visage d'une femme à lourde chevelure foncée regardait ailleurs, ostensiblement ailleurs, distraite, ses yeux attirés hors du cadre de la toile. Tout cela — le tableau figuratif, ma présence au musée, ces paroles qui me venaient à l'esprit sitôt que mon regard se posait sur la

18

toile —, tout cela était insolite, absurde, un peu dérangeant.

Car autant je disposais d'une entière liberté quant à ma manière d'occuper la période du déjeuner, autant je pris sans trop m'en rendre compte l'habitude de passer ce moment de la journée au musée, quitte à casser la croûte à la cafétéria de l'endroit. J'entrais, me dirigeais vers le couloir, m'arrêtais devant le tableau et, incompréhensiblement mêlée à ce visage de femme, cheveux lourds yeux verts, regard absent ou pris par autre chose d'étanche aux yeux de l'observateur, cette voix rauque me venait à l'esprit, *i iéqué desderado mazìn taïno péquiné*, et cette évidence qu'il me faudrait manger un morceau.

Avec les semaines, j'en vins d'ailleurs à cette certitude pour le moins étonnante : que les visiteurs du musée, ceux qu'on trouve devant les toiles ici et là et qui observent en silence, ces visiteurs changent tous les jours, on ne les croise jamais une seconde fois, on n'en reconnaîtra aucun le lendemain ou les jours suivants. Mais cette certitude était également accompagnée d'une autre, tout aussi solide : les dîneurs de la cafétéria, peu nombreux, étaient des habitués. On les reconnaissait, on les saluait discrètement, c'étaient toujours les mêmes. Et pourtant, il ne m'arrivait pas de croiser l'un ou l'autre dans les salles du musée, à observer une toile ou à circuler au travers d'une exposition. D'habitude, ils ne s'adressaient pas la parole, ils mangeaient seuls en silence. Aussi, le jour où cette femme s'est approchée de ma table, qu'elle est venue, plateau à la main, me demander si elle pouvait se joindre à moi, j'ai été si étonné que je n'ai rien trouvé à lui répondre, sinon *oui, bien sûr, asseyez-vous*.

Chaque midi qui a suivi, cette scène s'est répétée dans le détail, y compris mon étonnement qu'elle cherche à se joindre à moi, à manger en face de moi, et mon embarras à ne trouver rien de mieux à répondre, au moment où elle me demandait l'autorisation de s'asseoir, que *oui, bien sûr, asseyez-vous.*

Sauf qu'avec le temps, sans que rien de familier ne se tisse entre nous, sans qu'aucune connivence ne s'installe, nous avons fini par quitter notre méfiance initiale et par échanger sur ce qui nous attirait au musée. J'ai appris d'elle que la peinture l'indifférait ; elle venait ici exclusivement pour l'exposition Colville, et encore n'attachait d'importance qu'à trois tableaux, des paysages champêtres à chevaux. J'ai su également que chaque jour, au moment de décider si, cette fois encore, elle se rendrait au musée, elle se maintenait finalement dans cette habitude tout en s'en voulant d'y avoir cédé une fois la visite accomplie, l'heure du dîner passée.

C'était bien peu, mais beaucoup pour des étrangers qui ne s'étaient pas embarrassés de demander à l'autre son prénom. Cela suffisait pour qu'un jour, dans un moment d'audace, j'ose lui poser cette question que je retenais depuis quelque temps.

— Quand vous regardez les tableaux de Colville, vous arrive-t-il d'entendre intérieurement comme un appel, des voix, par exemple, qui vous parleraient dans une langue étrangère ?

Elle n'a pas ri, n'a pas même souri, n'a semblé en rien choquée ni étonnée par cette question. Elle a pris son temps avant de répondre.

— D'une certaine manière, oui.

Et puis elle a hésité.

— Ce ne sont pas des voix, que j'entends. Quand je regarde les toiles de Colville... c'est de la musique qui me vient à l'esprit. Et j'en suis un peu gênée.

20

— Pourquoi ?

— Devant Colville, on peut s'imaginer entendre Schönberg ou Bartók, Glass à la rigueur. Moi, me viennent tout bonnement les premières mesures de la *Pastorale*, un peu banal, quoi !

Elle ne m'a pas retourné ma question. Pourtant, l'occasion s'y prêtait. Je me disais — peut-être à cause du ton rauque de la voix qui me filait intérieurement ces mots inconnus —, je me disais que cela évoquerait chez elle une image, une idée qui pût me guider. Seulement elle ne m'a pas retourné ma question.

Aussi, ces autres phénomènes qui ont suivi la venue des voix, je les ai gardés pour moi. Et s'ils me sont venus, ce n'est certes pas parce que le sens de l'observation me fait défaut. Ainsi, de ma dîneuse, j'aurais pu décrire le moindre détail : ses yeux verts, incisifs, ses sourcils lourds et inégaux, un nez retroussé à la limite de l'élégance, des lèvres sans caractère, j'aurais pu trouver des mots d'une exactitude telle qu'un inconnu l'aurait repérée sur une place publique. Tout comme les mots ne m'auraient pas manqué pour désigner le visage de la femme sur la toile. Seulement voilà précisément quel était devenu mon problème. La voix qui me prenait en face de la toile, *i iéqué desderado mazìn taïno péquiné*, son débit s'était même accéléré, elle me pressait intérieurement comme si se profilait une urgence, *i iéqué desderado mazìn taïno péquiné*. Mes propres mots pour décrire la toile se faisaient de plus en plus aigus, médicaux. Mais ce que fixaient mes yeux me trahissait. Tout d'abord, je n'ai plus aperçu qu'un seul sourcil. Puis le nez s'est progressivement estompé et, avec les jours, les yeux sont disparus tout à fait. Plus je perdais du visage, plus la voix intérieure, ce timbre rauque, insistait. J'étais troublé et, comme quelqu'un cherche à se faire du mal, mon impatience allait grandissant, que vienne l'heure du déjeuner. Je m'empressais jusqu'au musée, j'arrivais haletant devant le portrait. Chaque jour, le désastre s'installait avec un sans-gêne croissant.

Aussi un midi, et bien que cela trahît une sorte d'entente tacite entre la dîneuse et moi, je lui demandai de me suivre, je la conduisis devant le portrait. Un peu étonnée quand je lui posai cette question au sujet des voix, elle me répondit qu'aucune voix intérieure ne lui venait en présence de ce tableau. Pas davantage de musique, pas le plus petit indice acoustique. Par contre, quand je la priai de me décrire la femme du tableau, elle se montra d'une. précision renversante. Ses mots disaient qu'elle voyait tout de ce visage, les sourcils un peu insistants, le front haut, la raie des cheveux sur la gauche, le nez fin, les yeux verts, distraits, ailleurs, les lèvres la bouche le menton, elle parvenait à saisir la moindre nuance picturale. J'ai dû alors m'effondrer sous ses yeux d'une façon si évidente, si entière, qu'elle s'est arrêtée de parler au milieu d'une phrase et, sans rien ajouter, elle est partie, me laissant seul devant le tableau qui m'avait presque tout enlevé de son visage, si ce n'est les cheveux dans un désordre calculé et le cou un peu long sur l'ouverture du décolleté. J'avais perdu le visage de la toile, j'étais le seul dans ce cas, isolé, pris par ce *i iéqué desderado mazìn taïno péquiné,* par cette urgence.

Mon étrangère du dîner ne m'a pas reparlé de ce midi-là. Rien, dans son propos, n'a jamais laissé filtrer le moindre reproche, la plus petite réprobation. Seulement, j'ai fini par admettre que quelque chose s'était brisé entre nous. Je la trouvais distante ; son regard, plutôt que de me cadrer, allait n'importe où, se posait sur n'importe quoi, bien qu'elle s'assît invariablement à la même table que moi. Elle parlait moins, également, ce qui m'arrangeait étant donné que, lorsque je m'asseyais, c'était chaque fois après avoir observé le portrait, troublé parce que ces jours-là, j'avais perdu un peu plus encore, la chevelure au complet et le haut du cou.

Je ne me souviens pas du jour où, pour la dernière fois, j'ai mangé avec cette femme. On me dirait que c'était un jeudi, je ne saurais que répondre, je le croirais. Je ne me rappelle plus ce que nous nous sommes dit. Fort peu sans doute. Je n'avais pas décidé de ne plus la revoir.

Simplement, le lendemain, je me suis d'abord rendu devant le portrait. Et pour la première fois, je n'ai entendu aucune voix, intérieure ou autre ; aucun ton ne s'est fait pressant, aucune urgence. Et le visage de la toile avait retrouvé ses traits, tous ses traits, aucun détail ne faisait défaut. C'est alors que j'ai compris que le regard du portrait, contrairement à ce que j'avais cru jusque-là, ne portait pas n'importe où. Il était précis dans son alignement hors cadre. Il regardait dans la direction du couloir, vers son extrémité ouest, là où, derrière un mur vitré, se trouvait la cafétéria, notre table.

La décision que j'ai prise à ce moment, quelqu'un d'autre à l'intérieur de moi l'a prise à ma place. Il me fallait sortir, quitter le musée, ne plus y revenir. Et pas question de faire un détour par la cafétéria. Je savais que je n'avais pas la trempe nécessaire pour faire face au désastre qu'inévitablement je trouverais à notre table.

L'album de photos

Ça s'est passé bêtement. Bref, disons qu'Édith n'avait pas lésiné sur le vin, que je m'étais repris au moment des digestifs. Lorsque Sylvie et Charles se sont levés pour partir, je demandai discrètement à celui-ci s'il ne nous laisserait pas les clés de leur maison de campagne, nous rentrerions le lendemain matin. L'idée me semblait bonne; j'adorais l'endroit, Édith s'y plaisait.

D'abord, elle n'a pas semblé comprendre comment il se faisait que nous restions alors que nos hôtes s'en allaient. Après, quand nous nous sommes retrouvés seuls, les choses ont tourné au vinaigre. J'étais un être immonde, imbu de lui-même, qui prenait toutes les décisions sans consulter qui que ce soit, surtout pas elle, et j'avais décidé que nous ne partirions que le lendemain sans m'embarrasser de lui demander son avis. Devant cette rebuffade, alors que j'étais parti des meilleures intentions, je me suis cabré, *très bien si c'est ainsi, on rentre et pas plus tard que maintenant.*

J'ai éteint, fermé à clé, me suis installé au volant et, une fois qu'elle eut pris place, j'ai joué au cascadeur de films américains. Ce n'était pas la meilleure solution pour l'amener au calme et rétablir le dialogue. Elle en est venue aux gros mots, m'a traité de tous les noms, m'a menacé de descendre en marche si je ne lui cédais pas le volant. À l'en croire, j'avais trop bu pour conduire, elle ne se sentait pas d'humeur à se retrouver dans le paysage, ce serait donc elle qui nous ramènerait ! Mais voilà : sa conduite à elle, même sans alcool, rivalisait avec celle d'un chauffard téméraire. La dispute s'est envenimée. Lorsqu'à la suite d'une séquence d'injures bien senties, elle m'a ordonné de me ranger, déclarant qu'elle descendait là, tout de suite, qu'elle ne voulait plus rien savoir ni de moi ni de ma vie, j'ai freiné, stoppé, elle a ouvert, est sortie et a claqué la portière. À mes yeux, il s'agissait là d'un chantage indigne d'elle et de moi. J'ai redémarré en trombe, la laissant au beau milieu de la nuit en pleine campagne, à trente kilomètres de la ville.

Je serai discret sur ce qui m'est venu à l'esprit lors du trajet. C'était bien fait pour elle ! Elle n'avait qu'à ne pas me chercher !

Je me suis couché sitôt entré. Non, je ne regrettais rien. Et je me suis endormi tout de suite. Bien sûr, certains rêves m'ont un peu rattrapé au cours de la nuit, mais les rêves...

Le lendemain matin, j'avais le mal de bloc et mon foie ne tolérait plus rien, pas même l'eau plate.

Je n'allais certes pas lui téléphoner, m'assurer qu'il ne lui était rien arrivé de fâcheux ou que sais-je encore ? Oh non ! Elle avait un sale caractère, à elle d'en subir les conséquences. Pour ma part, je me dépêtrais de mon mieux avec le vertige.

Vers midi, l'absorption d'eau m'était encore interdite. Je décidai de prendre l'air. Prendre l'air, non pas marcher ! C'était encore un exercice au-dessus de mes forces. Je m'installai au volant de la voiture et démarrai d'une manière plus posée que la veille. Mais pas question que je fasse un crochet par sa rue pour éventuellement y percevoir porte et fenêtres ouvertes, ou d'autres indices de son probable retour. Pas question.

Quitter la ville, m'aérer sur une route, n'importe laquelle, me ferait le plus grand bien. Mais je n'ai pas pris au hasard. Tout en veillant à ne rien préméditer, j'empruntai la route qui conduisait à la maison de campagne.

Je roulais lentement. C'était sans raison si je regardais de-ci de-là sur le bord de la route. Je laissais mon regard s'égarer, conscient que toutes les culpabilités se donnent rendez-vous un lendemain de cuite et qu'elles trouvent pour ce faire les voies les plus retorses de l'imagination. J'atteignis enfin la maison et mon espoir secret — qu'elle ait la veille pris la sage décision d'y retourner plutôt que d'affronter les risques d'une route de campagne, la nuit —, cet espoir s'écroula.

Mais elle était vaccinée et tout et tout, tant pis pour elle !

Je suis rentré en ville, doucement, avec les yeux qui lorgnaient du côté des fossés et mon esprit qui m'inventait des talents pour la catastrophe et des remords pour le pire. Si bien qu'à peine parvenu aux limites de la ville, j'ai obliqué vers la première cabine téléphonique. Rappliquer chez elle, ç'aurait été capituler. Mais un petit coup de fil sur un ton détaché ne me semblait pas contre-indiqué. À mon premier essai, personne ne répondit. Me soupçonnant d'acte manqué, j'ai recomposé, mais avec les précautions d'un enfant qui découvre le téléphone. Sans plus de résultat.

J'ai alors compris ma méprise et me suis traité de faible. De toute évidence, elle avait deviné qui lui téléphonait ; son silence, c'était une tactique. Qu'à cela ne tienne !

Je suis retourné chez moi pour y redécouvrir les effets bénéfiques d'un jus de légumes. L'ensemble du rituel salvateur m'a occupé dix minutes, pas davantage. Par la suite, je me suis baladé dans mes chaussures à l'intérieur de mon quatre-pièces. À la fin, n'y tenant plus, je suis sorti, monté dans ma voiture et j'ai roulé jusque chez elle.

Sa porte était close ; toutes les fenêtres, fermées. J'ai frappé, mais sans succès. Comme j'avais la clé, je me suis permis d'entrer. Elle ne se terrait dans aucun recoin, et j'ai retrouvé ses choses dans le désordre de la veille. Par conséquent, elle n'avait pas remis les pieds chez elle.

Difficile, dans un moment pareil, de décider quel parti prendre. Le recours aux forces policières m'apparaissait un peu prématuré. Qu'aurais-je trouvé à leur dire ? De plus, dans l'éventualité d'une ruse de sa part à elle, je paierais cher d'avoir mis la police à contribution.

Restait encore cette autre possibilité : lorsque ça n'allait pas, elle n'hésitait pas à trouver refuge chez papa-maman. Et ça lui ressemblait assez de chercher à m'attirer en terrain parental pour m'y humilier. Encore me fallait-il choisir : téléphoner, c'était entendre belle-maman me répondre. M'y rendre, c'était me faire ouvrir par beau-papa. Dans les deux cas, je ne voyais pas bien ce que je trouverais à dire. Mais la solution beau-papa m'apparaissait moins pénible.

Quand je sonnai, ce fut effectivement lui qui se pointa. Mais avec cette surprise cordiale qui ne cadrait pas avec une mise en scène de fille malmenée qui mobilise à des fins guerrières la junte familiale.

— Nous ne l'avons pas vue depuis que vous êtes passés ensemble hier.

Impossible de m'imaginer une feinte de sa part. J'ai inventé n'importe quoi pour me tirer de là au plus coupant ; il ne s'agissait en aucune façon d'un morceau d'élégance.

Une fois dans la voiture, je me suis écroulé. Les reproches qu'elle m'aurait adressés n'étaient rien en comparaison de ceux dont je m'accablais. Dans ces conditions, le mieux, c'était encore de retourner chez moi. Et puis non. Je suis revenu chez elle, j'ai gravi l'escalier qui menait au premier. Quand, après avoir frappé, j'ai inséré la clé dans la serrure, rien ne se produisit. J'ai cru que je m'y prenais mal, j'ai réessayé. Et c'est à ce moment-là qu'entre les tentures, j'aperçus le mobilier de la cuisine, un certain désordre, la vaisselle sale sur le comptoir de l'évier. Mais rien qui ressemblât à ses affaires à elle. Voilà, je m'étais tout simplement trompé de maison. J'eus tôt fait de m'en assurer, je me trouvais bel et bien à l'endroit désiré. Sauf que sa clé n'ouvrait plus cette serrure. Et ce que j'apercevais par la fenêtre n'aurait pu d'aucune façon appartenir à Édith.

Comme alors plus rien ne m'apparaissait sensé, je fis n'importe quoi, vraiment n'importe quoi : je revins chez ses parents. Pour y croiser de nouveau beau-papa, son ton cordial, bien sûr, mais un beau-papa un peu étonné cette fois, puisque son aînée, disait-il, ne s'appelait pas Édith comme je le prétendais, mais bien Jacques et que Jacques faisait ses études à l'université où il réussissait bien, *je vous prie de me croire, mon jeune monsieur* — c'était comme cela qu'il m'appelait à présent : *mon jeune monsieur*.

J'ai dû lui paraître si obstiné qu'il s'est cru obligé de me conduire devant le foyer sur le tablier duquel trônait le portrait de famille, *mes enfants, tous mes enfants*, insistait-il, alors que le cliché ne montrait pas la moindre trace d'Édith.

La suite, je l'ai anticipée. Je rentrerais chez moi, je me précipiterais vers le tiroir de ma commode, celui où j'entasse toutes sortes d'objets qui me sont chers. Et mon album de photos comporterait des trous par rapport à mes souvenirs, des pages en moins, ou alors des pages sans photographies, sans le moindre cliché d'Édith, je l'aurais parié.

J'aurais gagné ce pari. Jusqu'à ce téléphone, celui d'Édith.

— N'oublie pas que ce soir, nous mangeons avec Charles et Sylvie, à leur maison de campagne.

Visa pour le réel

On ne sait trop comment ça se produit, ces situations-là. Une mésentente qui traîne, certaines scènes au cours desquelles on élève un peu la voix, quelques mots durs qu'on n'arrive pas à rattraper et puis voilà, on ne sait plus où regarder, on fuit les yeux de l'autre, on est seule. Sauf que ça devient de plus en plus lourd : le quotidien, ces silences embarrassants, des banalités navrantes...

On repense à certains moments, quand ouvrir les bras allait de soi, toutes ces fois où le lit faisait évidence, les rires les plus francs se mêlant à l'imagination des corps, on y songe on a mal, pleurer ne sert à rien, on n'a personne à qui confier ces choses. Ne reste finalement que le journal intime, une manie oubliée depuis l'adolescence, un peu gênante à l'âge que l'on a !

Au mieux, les secrets confiés à l'intimité d'un petit cahier noir, ça soulage un peu. Mais voilà : la main qui trace les mots ne parvient pas à suivre les pensées qui se bousculent ; et puis le geste est trop posé, trop grammaticalement correct pour rendre la détresse sur le papier. La main arrange les pensées comme si elles s'adressaient à quelqu'un d'autre, pour expliquer ce qui, de toute manière, ne se comprend pas et s'exprime dans des écrits niais obnubilés par le bonheur.

On échangerait tout ce verbiage contre la simplicité retrouvée d'une bouche qui s'offre, d'une hanche qui sait ça d'emblée, des yeux qui mènent comme malgré soi à l'humidité des étreintes. Mais il n'y a plus rien à échanger, plus personne avec qui les paris les plus risqués se gagnent à tous les coups. Seulement le journal intime, l'écriture tracée avec soin qui dit maladroitement qu'on est seule, qu'on se sent vide, qu'on ne sait plus inventer.

Et cette autre manie, celle du signet laissé dans le cahier noir, après chaque séance de confidences infantiles, le signet replacé invariablement à la page 9 — pourquoi à la page 9 plutôt qu'à la dernière page, ainsi que le veut l'usage du signet ? pourquoi un signet dans un journal intime ? pourquoi un journal intime quand le bonheur semblait si naturel, la route vers l'autre, si simple ? Au lieu de toutes ces choses embarrassantes tracées dans une écriture exagérément soignée :

> Cette nuit, j'ai rêvé de Patrick, il me giflait, j'ai eu horriblement peur.

Ou encore :

> J'ai rêvé d'un homme, de rendez-vous secrets, j'ai eu honte de l'état dans lequel je me suis retrouvée au réveil.

Ou plus loin :

> Je préférerais des scènes franches à toutes ces ruses pour faire sentir à l'autre l'indifférence froide dans laquelle on persiste à le maintenir.

Et, chaque fois, après ces confidences, le signet remis à la page 9, toujours à la page 9, et le cahier qu'on laisse n'importe où, sur la table de chevet, sur un rayon de la bibliothèque, près de la télévision. On est seule et cette soupape finit par vous faire songer à une forme d'incontinence sournoisement maquillée.

Jusqu'à ce jour, celui de la rage folle, de la colère, ce jour où l'on constate que le signet a été déplacé ! Quand on connaît ses obsessions, quand on sait à quel point on y tient, ce rite, fou peut-être, mais qui ne saurait souffrir la moindre distraction, on en vient à la seule conclusion possible, celle d'une effraction inacceptable, pour laquelle il n'existe pas de mots : quelqu'un d'autre, l'autre en qui l'on avait malgré tout encore confiance, Patrick se sera permis de fureter dans ce journal intime ! Il se sera donné accès à ces secrets, exagérés parfois, gonflés ailleurs, inventés ici pour compenser, il aura lu ces choses sans être en mesure d'établir les nuances indispensables. C'est pire que quelqu'un qui vous déshabillerait contre votre gré ; on songe plutôt à des vêtements offensants qu'on vous forcerait à porter et qui n'offriraient de vous qu'une caricature, une tenue de clown pour une sauterie de garçons fortunés.

Mais que faire, une fois passée la rage initiale ? Que dire à Patrick ? Comment se soustraire à l'humiliation de s'expliquer, de se justifier face à quelqu'un qui s'est permis cette intrusion et qui, de surcroît, refusera de croire qu'on puisse se prendre à la fantaisie de mentir dans son journal intime ? Alors, après les premiers moments de colère, comme d'elle-même, vous vient cette stratégie, une idée retorse s'il en est, pour vous venger de l'impudeur de l'autre, pour le perdre dans ce jeu cruel dont il s'est fait, en quelque sorte, l'instigateur.

D'abord, cette façon nouvelle d'agir, efficace dans la mesure où elle déroge radicalement à vos habitudes, *tu m'excuseras, mon chéri, mais je me sens nerveuse, je vais prendre l'air, je ne serai pas longue,* et Patrick qui n'en revient pas de ces balades après le repas du soir, ces promenades de plus en plus longues, *non, excuse-moi, je préfère vraiment y aller toute seule, je t'en prie, comprends-moi.*

Il suffit d'attendre quelques jours, le temps que cela fasse vraisemblable, quelques jours seulement. Et ces idées, qu'on garde bien sûr pour soi, viennent toutes seules : *tu as voulu profaner mon journal, me surprendre dans l'inavouable, je vais t'apprendre le prix d'une sauvagerie pareille. Mes fictions à venir auront raison de toi.*

Alors commencent ces récits :

> Hier soir, au moment où je me promenais, j'ai eu le sentiment qu'on me suivait, qu'un homme derrière moi, mais à une distance respectable, un inconnu derrière moi...

> Aujourd'hui, j'en ai la certitude, mon imagination ne m'a pas joué de tours. Quelqu'un me suit lors de mes promenades, un homme. Le même chaque soir. L'état dans lequel me place cette certitude nouvelle me laisse perplexe. Car cela m'effraie et me trouble à la fois. Peut-être devrais-je mettre un terme à cette habitude. Mais voilà : j'ai peur et, en même temps, quelque chose m'attire, je suis terrifiée, impatiente...

Ces fictions-là, elles ne restent pas lettre morte puisque chaque jour, il me faut replacer le signet à la page 9 ; Patrick les a lues durant mon absence. Il a commencé à s'y perdre, en cherchant à piéger mes secrets sans s'embarrasser de moi, Patrick auquel je donne à lire :

> D'habitude, je n'adresse pas la parole à un étranger ; d'ailleurs, je croyais que cet inconnu mettrait

34

quelques jours encore avant de réduire la distance qui nous séparait lors de ces promenades.

Mais, comme malgré moi, j'ai ralenti. Il m'a devinée, s'est approché petit à petit. Un autre aurait dit *Bonsoir, n'ayez pas peur...* ou *Vous aussi, chaque soir...* quelqu'un d'autre n'aurait pas su ajuster sa parole à l'insolite d'un rite fait de crainte et de sous-entendu.

Lui, il a simplement dit *On ne sait pas échapper à la peur quand pèse l'ennui et qu'on croise le vide*, j'ai continué d'avancer sans lui répondre, et lui, à parler de cette voix si particulière, mais sans attendre de réponse ni laisser entendre qu'il souhaitait que je m'arrête pour me dévisager. Il a continué à parler, m'emboîtant le pas d'un mètre alors que sa voix me remuait, que ses propos sur la crainte en contrepartie du vide et de l'ennui... Puis sa voix s'est faite plus lointaine, il s'est arrêté, me laissant seule m'avancer encore. *Vous reviendrez demain*, s'est-il contenté d'ajouter, *nous le savons bien tous les deux. Je vous attendrai.*

À présent, le signet ne se retrouve plus jamais à la page 9. D'ailleurs, je prends soin moi-même de ne plus l'y remettre. Patrick finirait par se rendre compte de cette ruse. Alors il le replacerait et je perdrais cet indice de sa petitesse quotidienne.

Par contre, depuis quelques soirs, bien avant que je n'aie atteint le coin de la rue, j'entends qu'on ouvre puis qu'on referme discrètement la porte de notre appartement. En jetant un coup d'œil de temps en temps, je constate que, cette fois, on me suit vraiment.

Je souris pour moi-même de cette tactique de Patrick, un peu naïve. D'ailleurs, sans doute conscient que je ne serais pas longue à le reconnaître, il a poussé le ridicule jusqu'à endosser un déguisement. Il est à la fois risible et pitoyable avec cet imper et ce feutre qu'il s'est procurés on ne sait trop où. Il a même songé à modifier sa démarche, s'est voûté les épaules, ce qui le rend plus navrant encore.

Comme la prudence l'incite à maintenir entre nous une distance respectable, je le sème rapidement dans les ombres d'une ruelle ou, dissimulée dans une entrée, je le laisse me dépasser et repars en sens inverse dès qu'il a disparu.

Mais j'ai tôt fait de le rattraper dans mes écritures secrètes :

> J'ignore pourquoi j'ai accepté de venir chez lui. J'ai d'abord été un peu surprise par sa demande, mais pas autant que je ne l'aurais cru, un peu comme ces choses qu'on sait sans savoir, qu'on garde dans des zones d'ombre de sa pensée parce qu'on n'a pas trouvé encore le moyen d'y faire face. Si j'ai consenti à le suivre, sans doute est-ce à cause de son ton autoritaire. Et puis j'ai été la première étonnée qu'une fois entrée, il ne m'invite même pas à m'asseoir, me laisse là, debout au centre de la pièce, tourne simplement autour de moi, mais à distance, sans tenter une seule fois de s'approcher, de me prendre dans ses bras...

> Quand il me fixe, mais sans cesser de parler, avec ces yeux précis, je sais que personne ne m'a jamais regardée ainsi. Il me fouille des yeux jusqu'à l'inconvenance, je ne sais plus me soustraire...

À présent, le signet ne quitte plus la page de mon texte le plus récent. Patrick lit chaque jour ma dernière fiction.

Chose étonnante, le soir, il ne s'est pas découvert la moindre astuce pour m'empêcher de lui échapper à quelques rues de notre appartement. Je ne saurais dire d'où lui est venue cette idée du feutre et de l'imper, alors que jamais le cahier n'a fait allusion à semblable tenue de mon suiveur, à sa démarche. C'est autrement que le journal place les choses :

> L'étranger ne m'a pas une seule fois demandé mon nom, il n'a posé aucune question. D'ailleurs, jusque-là, il s'en tenait à m'entraîner chez lui, dans sa salle de séjour, me suggérant de me tenir debout au centre de la pièce, alors qu'il marchait autour de moi, avec ces paroles qui vous bouleversent, ce timbre qui vous retourne.

> Pourtant hier, il a dit *Je vais vous déshabiller, mais lentement.*

> Comment a-t-il deviné que tant qu'il parlerait, je ne saurais rien trouver, que je resterais là, les bras le long du corps, de plus en plus nue, de plus en plus touchée mais du seul bout de ses doigts, debout sous un éclairage cru, sûr de lui-même quand il murmurait *Vous savez que vous ne résisterez pas, nous le savons tous les deux.*

Le signet, je le retrouve chaque jour à la dernière page. J'imagine Patrick qui hésite avant de s'emparer du cahier. Je le vois d'ici, fébrile, qui ne sait plus y tenir, ouvre au texte le plus récent, celui qui lui fera plus mal encore :

J'avais la ferme intention de lui résister, de lui opposer un refus. Il m'avait pourtant prévenue de ce qu'il exigerait de moi, cette fois, que cela ne lui suffisait plus, une femme nue au milieu de la pièce.

Je n'ai rien dit, j'ai laissé faire. Je pense que c'est dû au timbre de sa voix. Ou plutôt à l'assurance de son ton.

On ne m'a pas appris à me dérober à ce genre d'homme. Jamais auparavant je ne me suis sentie ainsi. J'ai honte. Et pourtant le trouble le plus profond s'empare de moi, me retourne. J'ai honte, mais j'ai oublié le mot regret.

Chaque soir, au moment de ma promenade, on me suit, un imperméable qui porte un feutre. Mais il me semble que, ces jours-ci, la démarche se fait moins voûtée.

D'ailleurs, d'autres pensées me laissent perplexe. Car j'ai délibérément remis le signet à la page 9. Et depuis, il n'a pas changé de place malgré mon récit de plus en plus audacieux.

Par contre, le type à feutre et imper, d'une fois à l'autre, se montre plus habile à déjouer mes ruses. Il m'est devenu très difficile de le semer. Et puis, j'ai remarqué que, physiquement parlant, il est beaucoup plus imposant qu'auparavant. Même en chaussant des bottes à talons, même en redressant les épaules, jamais Patrick ne parviendrait à se donner la taille et la carrure de mon suiveur, ces derniers soirs.

L'œil tranchant

D'après Saturation,
gouache et pastel à l'huile
de Johanne Berthiaume

Pendant la journée, ça va encore ; on se raccroche au travail, aux collègues, aux amis, à ce qui reste à faire. Mais le soir...

Auparavant, il y avait la télévision, les Canadiens, les Expos, tout ce qui irritait Carole, lui donnait matière à reproches, Carole... J'ignore si je peux encore utiliser ce prénom quand il s'agit d'elle, les parties d'un corps ne constituant pas un corps, pas vraiment. Auparavant, je veux dire avant qu'elle n'achète cette toile...

Le soir s'est transformé en cauchemar. Seul, debout dans la salle de séjour, j'observe le tableau — de l'acrylique, je crois, mais je m'y connais peu en peinture —, une image aux teintes passées, des traits qui laissent hésitant — est-ce un tableau abstrait ? figuratif ? et moi qui reste là, devant l'image.

J'ai d'abord cru que, au lieu d'ouvrir la télé, je prenais

la décision de demeurer en face de la toile — j'ignore quelle
en est la valeur, elle n'est pas même signée !

Je l'ai cru. J'ai imaginé que je l'observais. À la fin, j'ai
bien dû l'admettre, cette version des faits ne tenait pas : une
simple illusion, un leurre. C'est plutôt le tableau, il me tient,
des heures durant, captif des nuances lumineuses du soir. Le
soleil baisse, se couche, la tombée du jour, la venue de la
nuit, la nuit, l'éclairage de la salle de séjour nuancent cette
délicate mouvance dans la luminosité. Pendant un moment,
quelques jours, je me suis cru fasciné par ces transformations
graduelles des teintes. J'y décelais tantôt un arbre, tantôt un
tourbillon dans un ciel tourmenté, un œil. J'ai souscrit un
moment à cette version.

Depuis quelque temps — c'est-à-dire bien après le départ
de Carole, sa... dissolution —, je sais qu'il n'en est rien :
c'est la toile qui utilise comme appât cette variation progres-
sive de la luminosité. Je suis devenu la chose de ce tableau,
un morceau d'un bloc posté devant cette toile qui m'a
d'abord interdit la télévision, puis le plafonnier qui la désa-
vantageait. Il y a aussi que je ne réponds plus au téléphone,
ne me déplace pas pour ouvrir si l'on frappe à la porte. Je
reste debout, planté devant l'œil jusqu'à cette heure tardive
où, satisfaite de me voir harassé, la toile daigne consentir à
ce que je m'étende. Pas dans mon lit, non ! Tout près, sur des
coussins posés par terre, me défendant aussi bien d'éteindre
que de tirer les tentures, moi qui ne trouve pas le sommeil
sauf dans une noirceur sans failles. C'est à cette seule condition — une fatigue sans bornes ni nom —, que le tableau
m'autorise à m'étendre à ses pieds et à glisser dans une sorte
de coma, puisque jamais plus je n'ai accès à ce qu'on nomme
rêve.

* * *

Paris, le XXe arrondissement.

Il s'agit d'un trajet tortueux, qu'il faut expliquer sur papier — et encore ! —, un trajet qui conduit à l'impasse Rolleboise, un dédale de cours intérieures, de passages, de corridors, d'escaliers, de portes, un de ces endroits dont on ne trouve jamais trace dans les albums sur la *Ville lumière*, l'impasse Rolleboise, l'escalier dans un couloir intérieur, deux portes sur le palier.

Derrière celle de droite, un studio, deux lampes allumées, sans abat-jour, aux ampoules de faible intensité, posées chacune sur une petite table contre un mur. Et puis une femme, debout, dos à la porte, une femme près du mur, nu, à l'exception de ce tableau, à hauteur du regard — de l'acrylique probablement, comment savoir quand on ne s'y connaît pas en peinture ? Pourtant cette toile mal éclairée retient toute l'attention de la femme. Elle est figée devant l'image, un peu comme si elle cherchait à la décrypter, à comprendre ces traits de couleur, plutôt sombres pour le moment, une image ni abstraite ni vraiment figurative, on pourrait y voir un arbre ou un œil, le rimmel qui coule, l'œil de l'image si présent, si intense aux yeux de l'observatrice malgré les teintes cendrées, le mauvais éclairage, un œil qui fait oublier le reste, le coût du tableau — elle a si peu d'argent ! —, qu'il ne soit pas signé, sans compter ce temps qu'il lui prend, chaque soir chaque nuit, un vol sur elle-même quand devant la toile, elle ne saurait dire quel rimmel coule, le sien ou celui du tableau.

Hammed est mort à cause de ce tableau. Elle préférerait des mots, oui, des mots au lieu de cette odeur, le souvenir de cette puanteur qui chaque fois lui revient lorsque le soir, elle observe ainsi, toutes les nuits.

* * *

À l'affût du moindre détail concernant l'impasse Rolleboise, elles avaient noté le fait, Mme Chenu et Mme Farcy, chacune pour soi. Sans d'abord oser en parler à l'autre. La nuit, la petite Arabe, celle du palier, à droite, elle laissait une lampe allumée — au moins une ! — en cette époque où l'énergie pose au pays de tels problèmes ! Quand on n'a pas les moyens de se vêtir convenablement, qu'on se nippe aux puces, on devrait au moins avoir la décence d'éteindre, la nuit ! Voilà ! À la fin, Mme Chenu et Mme Farcy s'en étaient ouvertes l'une à l'autre. C'était trop scandaleux pour fermer les yeux et se taire. Et les hommes, chacune en ayant glissé un mot au sien, les hommes s'y perdent en ces domaines, on dirait. Ils se retranchent derrière des phrases toutes faites « cela ne nous concerne pas » ou encore « mieux vaut nous occuper de ce qui nous regarde », de simples clichés pour camoufler leur pleutrerie, elles étaient bien d'accord là-dessus. Alors quand les hommes refusent de faire face à leurs responsabilités civiques, qui d'autre que les femmes peut s'en charger, je vous le demande ?

Une nuit qu'elle ne trouvait pas le sommeil, convaincue qu'elle ne fabulait pas, que celle du premier, l'Arabe, une certaine Khedidja Quelque chose, n'éteignait pas, Mme Chenu s'était levée, avait passé son peignoir, était sortie de chez elle en prenant soin d'éviter le moindre bruit et surtout, en renonçant à allumer la minuterie, ce qui aurait inévitablement éveillé la méfiance de l'autre, là-haut. Et doucement, par le seul côté des marches — le centre produirait des craquements qui, dans ce silence, auraient éveillé la maison au grand complet —, elle était montée et s'était rendue au palier. Sous la porte de droite, elle avait vu, de ses yeux vu :

un jet de lumière filtrait. Il était quatre heures du matin et l'autre, à l'intérieur, l'autre avait laissé allumé !

La démarche de Mme Farcy ressemblait à celle de Mme Chenu, à ces différences près que cela s'était passé un autre soir et que, ne songeant pas à éviter le centre des marches, elle avait produit des craquements qui n'avaient éveillé personne, Mme Chenu exceptée. Si bien que le lendemain matin, elles s'en étaient touché mot, forte chacune de la contre-vérification fournie par l'autre. Aussi — c'était quand même une question de responsabilité civique ! — il leur fallait réagir. Mme Chenu s'offrit à en parler à la Khedidja.

Un soir, profitant d'un match de foot qui mobilisait M. Chenu, elle s'était glissée hors de l'appartement, était montée au palier, avait frappé à la porte de droite. Elle avait dû se reprendre, et plus fort cette fois, avant qu'on lui ouvrît. Alors, au moment même où Mme Chenu se préparait à se lancer dans une sorte de préambule, l'autre, un doigt sur les lèvres, lui fit : « Chut, entrez que je vous montre. » Son scénario ainsi désamorcé, la visiteuse ne trouva rien de mieux à faire que de la suivre. Pas bien loin, en vérité, car il s'agissait d'un simple studio, plutôt exigu. Khedidja conduisit la dame jusqu'au mur opposé à la porte. Là se trouvaient deux lampes allumées, sans abat-jour, chacune sur une minuscule table recouverte d'un tissu pour qu'elles soient présentables.

— Regardez !

Ce que la jeune femme désignait du doigt, c'était, accrochée au mur, une toile.

Mme Chenu aperçut un simple tableau aux teintes sombres, une huile sans doute — quoiqu'elle s'y connût peu en ce domaine. L'ensemble lui parut banal. Seulement, compte tenu du ton grave de la petite et de ses propres limites en la matière, elle se tut. Elle regardait le tableau, interdite.

— C'est Hammed qui l'a acheté.

Mme Chenu ne trouva rien à dire.

— Hammed, du temps où il s'appelait Hammed. Après, quand il est devenu des morceaux, on ne peut pas l'appeler Hammed.

La visiteuse s'y perdait dans tout ce charabia. Le sien, son homme, c'était Honoré, elle ne voyait pas comment l'appeler autrement. Du moins en sa présence.

Se ressaisissant un peu, Mme Chenu s'apprêtait à aborder le sujet qui l'amenait.

— Voilà pourquoi je laisse allumées les lampes, la nuit.

Cette fois encore, son hôtesse l'avait devancée.

— Je ne comprends pas..., avoua simplement Mme Chenu.

L'autre, depuis le début, n'avait d'yeux que pour la toile au mur. Pour la première fois, elle se retourna franchement vers sa visiteuse.

— Attendez, je vais vous montrer.

Alors elle s'avança vers les lampes, qu'elle éteignit une à une. Pour Mme Chenu s'ensuivirent noirceur et silence, pas davantage. Seulement les circonstances étaient si particulières qu'elle se taisait, ne bougeait pas.

Par contre Khedidja, elle, fixait la toile qui, à ses yeux, était d'une brillance telle qu'elle avait peine à la supporter. Finalement, elle parvint à se tirer de cette illumination et ralluma.

— C'est Hammed qui l'a achetée, du temps où l'on pouvait encore lui donner un prénom. Nous n'avions pas d'argent à cette époque.

Mme Chenu ne voyait pas en quoi cette situation financière s'était améliorée.

— Avant, j'étais douce toujours avec Hammed. Mais quand nous avons éteint, ce soir-là, et que la lumière du tableau m'a éblouie, empêchée de sommeil, empêchée de quoi que ce soit, je suis devenue non douce, et les lettres du prénom de Hammed se sont détachées de lui, il a cessé d'être Hammed.

L'autre était interdite, stupéfaite, dépassée.

— Voilà pourquoi je laisse les lampes allumées, la nuit. Sinon, vous avez vu, la lumière du tableau devient tellement intense que je ne trouve plus le sommeil.

Elle fit un début de sourire à Mme Chenu, lui glissant : « Vous pouvez raconter cela à la dame Farcy, car elle s'inquiète également, je crois. » Sans rien ajouter, elle la reconduisit à la porte et referma.

Debout sur le palier, Mme Chenu hésitait. D'habitude, elle s'en tirait avec une certitude immédiate et sans recours, « Cette fille est complètement folle, on devrait l'enfermer ! » Comment se faisait-il que, cette fois, elle ne trouvait pas cette assurance ? Comme si quelque chose ne collait pas. Atterrée, sans trop s'en rendre compte, elle s'assit sur la première marche. Et des souvenirs lui revinrent, par bribes, des images de l'hiver précédent, à l'époque où cet énergumène d'Arabe, ce salaud de Hammed avait abandonné la pauvre fille sans le sou. Elle se rappelait également la panne d'électricité — deux jours consécutifs dans un record de froid, on s'en souvient ! —, la petite qui descendait ses sacs à ordures, en larmes. Et tout ce qu'on parvenait à distinguer à travers ses sanglots, c'étaient des bouts de phrases, « cette belle viande perdue... à cause du congélateur, de la panne... cette viande et lui, parti... sans le sou je suis ». Et leur compassion, à elle et à Mme Farcy, qui l'avaient aidée dans sa tâche avant le ramassage des ordures. « Heureusement, s'étaient-elles dit une fois seules, heureusement qu'on est l'hiver, cela va geler rapidement... l'été, qu'est-ce qu'on aurait bien pu contre les chiens du voisinage. »

Mme Chenu ne s'était pas relevée. Elle songeait que dans le studio, pourtant exigu, nulle part elle n'avait aperçu le moindre congélateur.

Elle se demandait également ce qu'elle trouverait à répondre aux prévisibles et incontournables questions de Mme Farcy.

*   *   *

Cette fois, c'en était trop ! Pour Lucio, Clara avait tout accepté : quitter Buenos Aires, s'enterrer dans un coin perdu — Zapata ! —, loin de sa famille, de la mer, dans les hauteurs où l'air se raréfie, l'hiver qui n'en finit plus à cette altitude, loger dans une minable cabane de deux pièces parce que Lucio n'a pas de métier, chacun lui prenant des heures contre presque rien, attendre pour les enfants d'avoir amassé un peu d'argent sans y parvenir jamais. Surtout qu'on était en juillet, au plus dur de l'hiver, il fallait l'argent pour le chauffage et lui, le Lucio-belle-gueule, qu'est-ce qu'il en avait fait, de l'argent ? qu'est-ce qu'il avait acheté au lieu du bois ? « Un tableau », disait-il. Une toile, une image ! Il s'était amené en bâtisseur de villes, fier, tenant à bout de bras son petit paquet ficelé dans un mauvais papier brun, et il clamait bien haut : « C'est un miracle ! Nous sommes riches, le bois ne manquera plus, on peut faire les enfants ! » Voilà ce qu'il disait. Au lieu du bois, il avait rapporté ce colis ridicule de « la grande ville » — dans sa bouche, il s'agissait de Zapata, pas de Buenos Aires !

Le sourire de Lucio eut tôt fait de se figer devant le regard sciant de Clara.

— Où est le bois ? Qu'as-tu fait de l'argent ?

Il tenait son colis contre sa poitrine, précieusement, un trésor. D'abord, il tenta de la calmer.

— Tu ne le regretteras pas, je te jure, tu seras la plus contente des deux, on aura les enfants. Si tu le veux, on quittera la campagne, tu reverras Buenos Aires, et les tiens, ils seront fiers de toi, de moi, nous aurons beaucoup d'argent...

Apparemment, il en fallait davantage pour la convaincre.

— Qu'as-tu fait de l'argent, de notre argent ? Où est le bois ?

Dans ces moments-là, il le savait, Lucio, mieux valait attendre qu'elle se calme. Aussi, il recula un peu.

— Qu'est-ce que tu caches là ?

Lucio cessa de faire marche arrière. Il prit son paquet, coupa la ficelle, enleva le papier brun et, aux yeux de Clara, il exhiba la toile.

C'est alors qu'elle vit l'image, ne comprenant pas, ignorant pour quel motif elle observait, de cette manière, un simple tableau — ridicule, il ne représente rien, pas la moindre scène, aucun personnage, rien. Ou plutôt si, un arbre peut-être, mal dessiné, ou un œil, comment savoir ? Et ce n'est même pas signé, ça ne vaut sans doute pas grand-chose ! Sauf que, si c'est le cas, pourquoi ne parvient-elle pas à s'en détacher les yeux ?

Sans trop savoir pourquoi, elle recule, ne le peut plus, puisqu'elle a donné dans son retrait contre la table, une main derrière elle, une main qui sent le couteau posé sur la table, et lui qui vient, son tableau à la main, radieux, méconnaissable.

La suite est rapide, inexplicable, un enchaînement de gestes précipités quand on a perdu la tête, imprévus à ce point qu'après, on n'est plus sûre de quoi que ce soit. Des morceaux d'images vous reviennent, le manche d'un couteau, l'éclat d'une lame acérée, quelqu'un l'a d'un seul coup enfoncée dans le ventre de cet homme, là, par terre, il geint. Elle ne ressent rien.

Alors, petit à petit, quelque chose d'étrange s'empare d'elle. Ni regret ni crainte ni pitié, non. Lui, là, par terre, il ne compte plus. Simplement, elle est prise par une sorte de curiosité, d'attirance. Ses yeux sur le tableau, elle s'en approche, le saisit, fascinée.

Maintenant, sans trop en prendre conscience, elle se relève, le tableau à la main, s'approche du mur du fond, celui où se trouve la Vierge. Elle enlève la statue en plâtre de la tablette où elle était posée et la remplace par l'image.

C'est l'hiver, le jour, il fait froid, clair. Elle se dit que cette toile n'a aucune valeur, une simple reproduction, il doit s'en trouver des dizaines de copies dans le pays. Pourtant, on dirait que cette image vole la lumière de la pièce, la garde pour elle, en fait des reflets, on dirait qu'elle brille à présent. Non, cette toile-là ne quittera pas la tablette de la Vierge.

Par la suite, comme si le tableau lui accordait un répit, Clara entend la plainte, les gémissements de celui-là. Puis elle songe au couteau, une tâche à terminer. Heureusement, c'est juillet, l'hiver.

Et il lui vient une drôle d'idée, pour la première fois cette drôle d'idée : *Lucio*, un prénom de cinq lettres seulement, c'est bien peu pour un homme de cette taille.

II

Ce serait autre chose

Strip-tease

à Willy Apollon

J e n'aime pas les faiseurs d'histoires. Contrairement à la plupart de mes contemporains qui se pressent devant des cinémas ou se plongent dans des romans volumineux, je préfère une soirée tranquille, un cigare cubain, un rhum des Antilles.

Je compte parmi mes vieux amis... un romancier, dont la profession est d'ennuyer les gens avec des histoires au goût du jour. Comme il ne m'a jamais fait l'affront de me demander si je le lis ni de m'apporter un exemplaire dédicacé de son dernier ouvrage, j'apprécie sa compagnie une soirée de temps à autre. D'ailleurs, c'est un grand voyageur qui a rapporté de ses périples des récits dignes d'intérêt, nettement supérieurs aux fadaises qu'on publie ou qu'on porte à l'écran.

Et puis il y eut ce fameux soir. Je n'avais pas vu Philippe depuis deux ans au moins. Cela se passait chez lui. Son intérieur demeurait à la fois confortable et minutieusement conçu pour témoigner de son originalité sans risquer d'entrer en contradiction avec ses partis pris idéologiques.

Le phono passait, un peu fort à mon goût, une sonate de Mozart. Pendant plus d'une heure, Philippe disserta sur les mœurs des Géorgiens, ces gens dont, paraît-il, la presse nous donne une image scandaleusement déformée.

Pourtant, depuis le début de son apologie, un détail m'agaçait dans son comportement : un tic, un geste à l'oreille dont nos longues années d'amitié m'avaient appris la signification : il désirait m'entretenir d'un sujet délicat. Je jouai d'abord celui qui ne s'aperçoit de rien. Seulement, à la fin, excédé, je le priai d'en venir au fait et de me confier la source de ses tracas.

$$* \quad * \quad *$$

Cela remontait, me confia-t-il, à l'après-midi même. Il faut préciser que Philippe fait montre d'une moralité un peu douteuse ; il exerce son célibat avec une ardeur que connaissent peu les gens mariés. Ainsi, il n'est pas rare qu'il ramène chez lui une inconnue. Dans ce cas, la conversation quitte rapidement le propos littéraire. Car Philippe appartient à cette sorte d'individus qui consacrent aux femmes la dévotion que l'homme met d'ordinaire au service de son art ou de sa profession.

Donc, il avait ramené une jeune femme, une véritable déesse. C'est ainsi qu'il désigne chaque fois sa dernière conquête. Je me laissai raconter que cette Jeanne aux yeux bleus portait des cheveux blonds teints et savait tirer avantage de ses rondeurs. Ce type de femme ne m'a jamais particulièrement attiré. Une brune me plaît davantage, surtout si elle porte des verres.

Mais, aux dires de Philippe, cette violoncelliste avait une voix aussi suave que l'instrument avec lequel elle gagnait sa vie. On prend un Cointreau en s'entretenant de Baudelaire, de la faiblesse des cordes chez Stravinski, de Magritte qu'on préfère à Picasso. Un second Cointreau les entraîne du boudoir à la chambre où l'on devise à présent de la difficulté d'établir un contact vrai entre homme et femme, des problèmes de communication en général et des yeux de Jeanne en particulier. Tout ceci pour en venir aux baisers, ces baisers dont Philippe a toujours exagéré les vertus. Je me souviens d'une époque où il avait même élaboré une classification des baisers en dix-huit catégories, le tout en fonction de leur ressemblance avec certains animaux. On en trouve un exposé assez détaillé dans la bouche du détective de son avant-dernier roman. La critique littéraire s'était montrée acide là-dessus ; je m'en étais pour ma part tenu au silence.

Ainsi donc, on passe des baisers aux doigts dans les cheveux, aux effleurements accidentels puis délibérés, à l'élan passionnel et, cela va de soi, aux attouchements enthousiastes.

*   *   *

C'est à ce moment précis de son récit que Philippe commença à m'inquiéter. Non pas qu'il racontât avec emportement — il y met toujours une telle ferveur ! —, mais sur son visage se lisait une tension, un peu comme s'il craignait quelque réprobation de ma part, pis : de la raillerie. Pourtant, je ne me moquais nullement de lui. J'écoutais avec cette attention quasi religieuse que produit le troisième verre d'alcool.

De la simple tension, il passa soudain à l'anxiété, puis, se levant, marchant de long en large, il donna carrément dans le plus insupportable des énervements, bafouillant, lui qui possède un talent reconnu pour les phrases longues, rythmées et musicales. Jusqu'au moment où, soudain, il me dévisagea avec cette gravité qui convient davantage à une salle de tribunal.

— Alexandre, me dit-il, nous nous connaissons depuis longtemps.

J'acquiesçai.

— Malgré les sarcasmes des critiques, je ne suis pas fou, n'est-ce pas ?

Là-dessus, m'en tenant au sourire cordial, je me tus.

Alors il fit une chose étonnante. Il se rendit à la chaîne stéréophonique, coupa complètement le volume et revint s'asseoir tout juste en face de moi. Il avait besoin d'être rassuré. Aussi adoptai-je mon regard de petit garçon qui n'a jamais volé une friandise à l'épicerie.

— Écoute, chuchota-t-il.

Des yeux, il désignait la chambre à coucher.

Tout d'abord, je n'entendis rien. Puis je crus distinguer une sorte de froissement de tissu, une voix étouffée ou un sanglot. Aucun doute là-dessus, il s'agissait d'une femme.

D'abord perplexe, je devins rouge d'indignation et faillis lui lancer des invectives.

— Non non, s'empressa-t-il d'ajouter. Ce n'est pas ce que tu imagines.

Je ne sais pourquoi, je le crus et le laissai poursuivre.

— Les baisers et simples caresses ne nous suffisant plus, vint le moment de passer à plus sérieux... tu comprends ?

Je comprenais.

— Alors, comme pour donner l'exemple, je déboutonnai ma chemise. Jeanne ne manifestait aucun signe de désaccord. Pourtant, je le sentais, quelque chose l'arrêtait. Timidité, pudeur, phobie, qui sait ? Je me penchai, l'enlaçai et glissai une main dans l'ouverture de son col. Elle me laissa faire, comme si cet exercice revenait à l'homme. J'aime déshabiller, je ne me fis donc point prier. Je retirai son chemisier orange, lentement, avec langueur. Dessous, je découvris un chandail noir à manches longues. Et sous ses pantalons, une paire de collants de la même couleur.

Philippe se tut, visiblement embarrassé. Puis il reprit.

— C'est à ce moment-là que je dus faire face à la situation la plus étrange qu'il m'ait été donné de vivre. Je lui enlevai chandail et collants. Devine ce que je vis alors ?

J'espérais qu'il n'allait pas donner dans le soutien-gorge noir demi-buste et le cache-sexe assorti !

— Elle portait encore un chandail à manches longues, bleu cette fois, et des collants de la même couleur.

Entre Philippe et moi s'installa un silence grave. Ou bien cette fille était une drôlesse, ou bien Philippe était victime d'idées qui mènent généralement dans des cliniques d'un genre particulier.

— Et ce n'est pas tout, continua-t-il. Elle s'est mise à pleurer en silence et à m'embrasser avec une sorte de passion désespérée.

— Mais elle ne te donnait pas d'explications ?

Il ne me répondit pas et poursuivit, comme s'il eut été seul.

— Je lui retirai chandail et collants bleus... en dessous, elle portait un ensemble du même genre, jaune... puis un autre encore, vert celui-là... puis un blanc, un vert encore, un mauve...

Pour le moment, il faisait pitié à voir. Les yeux hagards, vides, il se taisait. Je n'existais plus. Il était perdu dans un monde où l'on n'arrive pas à déshabiller une femme.

C'est seulement là que me vint à l'esprit la triste tâche qui m'incombait : je devenais le bon ami de l'artiste tourmenté qui s'est permis un écart. Il me faudrait composer avec la victime, celle-là même dont quelques gémissements me parvenaient malgré la porte close de la chambre.

Un Cointreau supplémentaire attisa mon courage. Je me dirigeai vers la chambre et ouvris la porte. Ce que j'y vis acheva de sabrer le peu de certitudes qui me restaient.

Sur le lit et tout autour, par terre, par paquets, par grappes, en fouillis, gisaient des vêtements de femme.

Et cette Jeanne, justement, n'était ni nue, ni ligotée, ni bâillonnée. Sans s'asseoir, elle se redressa un peu. Le visage bouffi par les larmes, elle ne pleurait plus. Elle geignait, me dévisageant. Comme je ne réagissais pas, elle retira son chandail, blanc, à manches courtes. Dessous, elle en portait un autre du même genre, un jaune, qu'elle enleva également. Mais pour m'en laisser découvrir un autre encore, un bleu, puis un rose, puis un blanc.

Elle continua de se déshabiller ainsi sans y parvenir jamais jusqu'au moment où, affolé, je me précipitai hors de cette chambre, sortis, hélai un taxi et rentrai chez moi.

Je n'ai plus rien su de Philippe. Je n'ai jamais osé raconter cette histoire. À quoi bon?

Zap

Auparavant, j'habitais un troisième, toit mansardé, lucarnes, des fenêtres sur les quatre côtés de la maison, un point de vue magnifique dans un quartier de résidences unifamiliales qui s'en tiennent à des rez-de-chaussée, une vue splendide sur la ville, toute la ville et, plus loin, à l'ouest, les Appalaches, les rougeurs de l'automne, coucher de soleil dans les montagnes. Un paradis.

Du moins si l'on s'en tient à cet aspect des choses. Car le toit mansardé, les lucarnes et les Appalaches n'ont rien pu contre la séparation puis le divorce, à l'amiable n'est-ce pas, mais la pension alimentaire tout de même. Si bien que le toit mansardé, les lucarnes et la vue sur les Appalaches, tout se paie, j'ai dû déménager.

À présent, j'habite un rez-de-chaussée confortable, qui le serait davantage si l'architecte avait songé à l'usage quasi indispensable de garde-robes ! Et puis il m'a fallu compter avec ce fait, nouveau pour moi : lorsqu'on loge au rez-de-chaussée dans une petite ville et que la promenade en début de soirée y fait tradition, l'usage de stores ou de rideaux s'impose si l'on croit encore à la notion de vie privée.

Quoiqu'il soit possible de ruser. Les piétons profitent de regards furtifs à la seule condition qu'on ait allumé une

lampe ou un plafonnier. Autrement, on habite encore un troisième, le toit mansardé, les lucarnes et les Appalaches en
moins.

D'ailleurs, il semble que je fasse la fine gueule avec cette
réserve au sujet des promeneurs. Car les voisins ne se préoc-
cupent guère de stores ou de rideaux tirés à la tombée de la
nuit. Même si je crois à n'en pas douter que le terme « para-
noïaque » échappe à leur vocabulaire, je me suis gardé de
leur souffler mot de mon embarras face à cet état de choses.

Pour être tout à fait franc, je m'entends plutôt bien avec
eux. Je vois peu les gens, les salue poliment, leur lance les
phrases d'usage sur l'hiver qui n'en finit pas, l'été qu'on
aurait souhaité plus chaud et moins pluvieux, toutes ces
attentions qui font de vous un voisin agréable qu'on aidera
si, par mégarde, sa voiture s'engage dans un banc de neige.

De toute façon, le soir, rien ne me force à allumer.

Du temps où je vivais avec Jeanne, en gens éduqués, nous
écoutions peu la télévision. Mais quand on se retrouve seul,
que le repas du soir est affaire de sauvette et que les
Appalaches deviennent un vague souvenir, on se retrouve
comme malgré soi devant le téléviseur. De là à s'abonner à
la câblodistribution pour se libérer des deux seules chaînes
locales, puis à acheter un magnétoscope pour cesser d'être
l'esclave d'émissions sans imagination, il n'y a qu'un pas,
c'est-à-dire six mois d'impatience et d'économies.

Et c'est à ce moment qu'on fait la découverte d'une merveilleuse invention : la télécommande. À ce sujet, il est des
choses qu'il vaut mieux taire. En tout cas, ce sentiment de
puissance, celui qui vous permet de rendre silencieuse une
réclame publicitaire ou de vous libérer en une simple pres-
sion d'un feuilleton — qu'on retrouvera trois chaînes plus
loin, mais qu'importe ! — on ne peut nier ce sentiment de

puissance, celui qui vous affranchit de toute forme de servitude... télévisée.

À moins, bien sûr, que cette télécommande ne cesse de fonctionner. Heureusement, avec les garanties qu'on fournit à notre époque, on a tôt fait de se pointer chez son vendeur pour lui expliquer le problème : « Parfois, au beau milieu d'une émission, mon téléviseur change tout seul de chaîne ! Imaginez ! » Par chance, le vendeur, fort de ses assises auprès de distributeurs entre lesquels la concurrence se fait féroce, aura tôt fait de remplacer l'engin défectueux. Du moins à deux ou trois reprises. Par la suite, on dirait qu'il se montre soupçonneux. Il propose une hypothèse, une sorte d'interférence dans les ondes... entre voisins.

Il n'en fallait pas davantage pour que je devienne un fin observateur. En peu de temps, j'ai découvert la source de mon problème : mes voisins, ceux qui habitent de l'autre côté de la rue. Ils ne tirent jamais leurs rideaux. Mes voisins... je devrais dire le clan d'en face ! Des gros ! Tous des gros, le père, la mère, l'aîné, le cadet, les autres, tous les autres, des gros. C'était donc leur faute ! Facile à découvrir : il suffisait d'avoir un œil sur son propre écran et de surveiller de l'autre, par la fenêtre, le moment où ceux d'en face changeraient de chaîne. Facile !

À trouver, oui. Mais le supporter, c'est autre chose ! Imaginez : Schneider passe le disque à Lebeau ; Lebeau, à Savard, qui franchit la ligne rouge, ridiculise Duchesne, passe le disque à Lebeau qui, éprouvant de sérieux problèmes ces temps-ci, le refile de nouveau à Savard, Savard seul devant Hextall et... Mitsou qui apparaît là, devant soi, alors qu'un but a peut-être été compté par Savard — qui sait ? son onzième en onze matchs ! Mais qui mobilise alors l'écran ? Mitsou, en monochrome : parce que jamais on ne nous laisserait voir ça en couleurs à une heure où les enfants ne dorment pas encore !

J'avais donc trouvé mes coupables. Bien sûr, à l'époque où je vivais encore avec Jeanne — elle s'est toujours montrée si conciliante, toujours à l'écoute des autres, prête à tant pour faire plaisir, et puis elle savait si facilement m'amener à négocier —, à cette époque je me serais rendu à raison. J'aurais traversé la rue, frappé à leur porte, nous nous serions expliqué, une solution aurait été trouvée, je sais ! Mais Jeanne, les lucarnes, les Appalaches... Et puis de toute façon, cette manie, le téléviseur, le magnétoscope, la télécommande, elle y était quand même pour quelque chose ! Alors, pas question que je la laisse, même en esprit, m'amener à la conciliation ! J'étais atteint dans mes droits, je me défendrais.

Car si les ondes voyagent, aucune raison qu'elles le fassent en sens unique. C'est à ce moment-là que j'ai établi mon plan.

Il suffisait tout d'abord, en évitant d'utiliser la télécommande pour ce faire, de sélectionner une chaîne, une émission d'affaires publiques si possible. Chez mes voisins, on n'écoute pas ce genre d'émissions. Puis, par la fenêtre, j'observais. Je patientais. J'attendais. Par exemple, ce moment où, dans un combat sans pitié, un lutteur bardé de cuir s'apprêtait à asséner le coup de grâce à son adversaire en maillot rose. Alors j'activais la télécommande, et Bernard Derome remettait mes voisins à la hauteur d'un débat... convenable ! Une victoire inespérée !

Je n'aurais jamais cru qu'il fût si simple de déclencher une explosion de rage. Et cela ne tenait pas à Bernard Derome lui-même. Pierre Nadeau, Gaston L'Heureux, voire même Denise Bombardier, tous parvenaient à mettre ceux d'en face hors d'eux-mêmes. J'avais gagné. Ils étaient furieux, mais démunis : il leur fallait au moins trente secondes avant que leur vienne la réaction adéquate... celle de réutiliser leur propre télécommande.

Hélas, une fois qu'ils eurent compris comment déjouer cette ruse, ils le firent de plus en plus rapidement. Et Mitsou, Roch Voisine ou... l'Amateur de serpents et les Jumeaux Roses me revenaient aussitôt.

Ma tactique avait atteint sa limite. Je ne savais plus les contrer. Je repensais alors à Jeanne : car autant elle était conciliante, autant lui venaient sans cesse des idées nouvelles, des stratégies inventées sur le tas qui vous coupaient le souffle. Mais Jeanne n'était plus là, il fallait trouver tout seul. Je mis quelques jours avant que me vienne l'idée. D'ailleurs, mes connaissances en électronique me rendaient perplexe quant à la faisabilité de la chose. Qu'importe, mieux vaut un essai, fût-il raté, que l'inaction. Et, je l'avoue, c'était retors, perfide, pervers, sauvage, tout ce qu'on voudra. Mais dans le club des gros, il y avait une mère ! Et une mère ne laisse pas passer n'importe quoi !

Je me rendis donc à mon club vidéo. Cette journée-là, c'était le commis qui était de service. Heureusement. Parce qu'avec les conseils que j'avais à demander, cela m'aurait embarrassé de m'adresser à la dame du soir. La cassette vidéo que je rapportai à la maison, c'était de la dynamite. À côté de cela, Mitsou ou Madonna n'avaient qu'à se rhabiller, Vanessa Paradis passait pour une enfant de Marie.

Je pris soin de chercher, parmi les séquences du film, disons la plus... les images les plus grossières, celles qu'une mère... Et j'attendis. Je surveillai l'écran d'en face. Et au moment où on s'y attendait le moins, zap !

Cela fit l'effet d'une bombe. J'avais depuis longtemps

compris qui portait la culotte, dans cette belle faune. Ce que fit la mère, simplement, me le confirma. Un triomphe, un véritable triomphe ! Elle ferma le téléviseur !

J'avais trouvé. Et la silhouette maternelle qui, par la suite, remplit tout l'espace entre les tentures ouvertes, les poings sur les hanches, et qui scrutait on ne sait trop quoi, cette silhouette ne pouvait rien contre moi. J'étais dissimulé dans le noir de mon intérieur ; et les Nordiques arrachaient aux Canadiens une victoire.

J'avais retrouvé la paix, je la croyais durable.

Mais un jour, confiant, absorbé par un débat public sur l'avenir écologique de la planète, il y eut de nouveau de l'interférence. D'une certaine façon, elle, en face, avait pris son temps pour bien préparer sa vengeance. Elle avait tout calculé, tout soupesé.

Les images qu'à distance *elle* me fit parvenir n'avaient rien à envier à celles dont j'avais brièvement gavé ses hommes. C'était cru, explicite, sans concessions. Je n'en revenais pas !

Il y avait longtemps que j'avais vu Jeanne nue. Mais, de toute ma vie, jamais avec un autre !

Les vacances

Je n'ai pas à décrire Kennebunk Port, encore moins à en vanter les charmes et mérites, étant donné que la plupart des Québécois y ont fait au moins un rapide crochet, pour vérifier et, en certaines circonstances, placer dans une conversation : « Oui, nous aussi nous y sommes passés, un moment seulement car c'était le Sud, le vrai, qui nous intéressait, vous comprenez. » Non, je n'ai pas à présenter l'endroit. Et le fait que, de temps en temps, y réside quelque déclencheur de guerre n'enlève rien à la splendeur des plages, à la limpidité d'une eau si froide qu'elle fait presque turquoise, ainsi qu'à la majesté tranquille et discrète de propriétés richissimes avec vue sur la mer, camouflées derrière des écrans d'arbres géants.

Seulement voilà : tous les plaisanciers n'ont pas les moyens de se payer, en devises américaines, pareils cottages. Restent encore des gens comme nous — *classe moyenne*, mais c'est là une expression dont le sens m'échappe de plus en plus —, ceux qui entretiennent une véritable passion pour les choses simples, le camping, l'odeur d'un bon feu, de la guimauve au-dessus de la braise, après les délices du Hibachi, avant un sommeil plus hâtif à cause du grand air. Nous aimons le camping, mon amie, mon fils et moi. Par contre, l'opacité toute relative de la toile sous laquelle nous dormons nous amène à redécouvrir un plaisir que nous avions oublié, celui de voir se lever le soleil sur Kennebunk Port, ou plutôt sur les grands arbres du camping particulièrement éloigné de la plage.

Bref, nous nous reposons énormément, nous sommes plus calmes qu'à la ville, Jean et Ginette s'entendent presque bien. Mais il y a un hic. Je fais allusion au repas du soir — nous avons vite renoncé à le prendre dans un restaurant : nous appartenons à la classe moyenne et ce luxe aurait considérablement écourté notre séjour.

Par conséquent, le repas du soir, nous le prenons devant le hibachi, et c'est là le hic. Car il faut chaque jour songer aux victuailles, la glacière rendant impensable une seule épicerie aux deux jours.

Kennebunk Port est une petite ville côtière merveilleuse, différente de la plupart des endroits du genre grouillant de baigneurs bruyants. Et ce paradis de villégiature a jugé bon de situer son camping — le seul de l'endroit, afin sans doute d'éviter un achalandage à revenu douteux — à une extrémité de la ville, mais loin dans les terres, un lieu discret, tranquille, à l'abri du mugissement des vagues se brisant contre rocs et sables.

De plus, Kennebunk Port n'a pas semé son centre-ville d'épiceries ou autres lieux de victuailles qui auraient gâché, par leur prosaïsme même, le pittoresque de cette rue tout en boutiques et en restaurants. Non ! Si bien que la seule épicerie un peu fournie et à prix abordables se trouve à l'autre extrémité de la ville, loin du centre, un endroit discret auquel mène un long sentier boisé qu'on songera un jour à asphalter.

Quand on prend le repas du soir au camping et que, pour

ce faire, on doit se procurer chaque jour la nourriture, il faut traverser le centre-ville, c'est-à-dire emprunter la rue principale, la seule qui donne accès au pont indispensable au trajet. Et cette rue principale, à quelque heure de la journée, c'est un bouchon ! Mais, dira-t-on, est-ce bien là un problème quand on s'y pointe en vacancier ? N'empêche que ce trajet, une heure pour l'aller, une heure pour le retour, c'est autant d'empiété sur la baignade et le bronzage.

Fort heureusement, Ginette et Jean ont eu cette idée, la même et du même souffle : consulter la carte régionale — non pas celle qu'on propose aux touristes, mais plutôt l'autre carte, celle qu'on trouve, discrètement rangée sur une tablette basse, dans un établissement quasi réservé aux résidents permanents. C'est là, sur cette carte, qu'ils l'ont découverte : une petite route, un simple trajet en pointillé, ce qui laisse supposer que, cette fois encore, on ne s'est pas livré à un abus d'asphalte. Il fallait y penser !

Alors Ginette et Jean, assis côte à côte sur la banquette arrière, se sont livrés à cette tâche délicate qui consiste à diriger le pilote, sorte d'individu-machine fixé au volant et qui, apparemment, se trouve si préoccupé par des manœuvres complexes que personne ne s'embarrasse de lui expliquer les motifs des ordres qu'on lui donne.

— À droite, la prochaine fourche, un virage serré je te préviens, puis tout de suite sur la gauche, après vas-y, fonce, c'est en ligne droite sur deux kilomètres !

— T'occupe pas, c'est tout droit, on a trouvé, on peut éviter le centre-ville, je te jure, dis-le-lui, Jean, moi, il ne me croit jamais, une véritable incapable à ses yeux quand il est question de lire une carte !

— Mais si, papa, Ginette a raison, donne-toi de la vitesse, car on indique une montée raide avant le pont.

— Ça doit être un vieux pont, pour qu'ils le représentent de cette manière... Tu ne roules pas assez vite ! Si tu attends trop, le moteur va chauffer dans la montée, on sera cuits, fonce, un vieux pont je te dis, et qui mène, c'est certain, à la petite route de l'épicerie, dis-lui d'accélérer, moi, il ne me croit jamais !

— Vas-y papa, le pont se trouve juste après la montée.

Eh ! ma foi, ils avaient raison : un vieux pont qui surplombe la rivière, mais plus à l'ouest par rapport au bouchon du centre-ville, une voie beaucoup plus rapide, un pont qui vient tout juste après la montée, immédiatement après, quand on a bien pris son élan pour éviter au moteur de chauffer et que, sur la lancée, on comprend pourquoi sur la carte on l'a représenté différemment, un vieux pont sans doute charmant à une certaine époque, dont il reste encore les piliers presque intacts, mais les piliers seulement, plus la moindre trace de tablier, et une voie bien plus directe vers le turquoise d'un bras de rivière, trente mètres en dessous.

Le téléphone

L e décor est simple, très simple même. Une salle de
séjour astiquée, plancher de bois franc, et un peu partout, quelques objets, quelques objets seulement, choisis avec soin, disposés avec goût : une statuette sur un socle,
souvenir d'un voyage en Grèce, un masque, copie fort accep-
table d'un original aztèque, un cendrier sans caractère particulier, sauf qu'il provient de Bagdad, qu'il rappelle un
voyage et que posé là, sur une table basse, verre et acier
dépoli, on dirait qu'il a du style. Des reproductions de
tableaux également, sous verre, en nombre restreint, rien qui
outrepasse le bon goût, des cubes de bois qui servent de
bibliothèques, une salle de séjour agréable, chaque objet
choisi avec soin, disposé ici ou là sans le moindre hasard, une
cigarette oubliée dans un cendrier, du rouge sur le filtre, et
plus loin, dans la porte-fenêtre, une silhouette se découpe au
moment où se couche le soleil, avant qu'on n'ait songé à
allumer une lampe, la silhouette immobile d'une femme qui
tient une coupe de vin, aucune bouteille n'étant visible dans
la salle de séjour, rien qui risquerait de laisser un cerne
fâcheux sur le verre ou le bois d'une table basse, à cette heure
où se couche le soleil, une silhouette en ombre chinoise, celle
d'une femme immobile, si immobile qu'on la devine toute

prise par ses pensées, elle n'a pas même songé à allumer une lampe, une coupe de rouge à la main, une tenue d'intérieur qui procure le confort sans rien céder à l'élégance, une femme regarde se coucher le soleil, une femme porte à ses lèvres la coupe, un vin simple peut-être, mais qu'elle s'est donné la peine de sélectionner au retour du travail, un vin honnête pour le prix. Un intérieur parfait pour la situation financière d'une secrétaire de direction, ce soleil dont le coucher prend rarement des teintes d'une telle intensité, un intérieur dans lequel on n'entend ni les questions d'un enfant ni le pas plus lourd, fût-il éloigné, d'un homme qui vaquerait à ses occupations dans une pièce voisine. Rien d'autre qu'une femme à sa porte-fenêtre, un coucher de soleil comme on ne parvient pas à les raconter, une coupe qu'on porte parfois à ses lèvres, mais avec modération, et puis cet autre objet, là, sur une table basse, le téléphone, qui ne gêne rien, ne perturbe rien, ne vient d'aucune façon troubler l'inévitable admiration devant un tel coucher de soleil. Et puis non, l'immobilité ne tient plus, la femme vient de se retourner, elle a cessé d'admirer ce mélange subtil d'orange et de rose. Mais, elle a pivoté ainsi, sans bruit, aucun bruit pas le moindre, c'est pour fixer un objet, un seul. Pas la bouteille de bordeaux, bien que sa coupe soit vide à présent. Plutôt cet objet, là, sur une table basse, le silence de cet objet, le téléphone. Et quand finalement elle s'avance dans la pièce, c'est précisément vers cet objet-là qu'elle se dirige, le téléphone, elle n'aurait qu'à se courber légèrement pour en saisir le combiné, puis composer un numéro. Car le téléphone n'a pas sonné. Depuis qu'elle est revenue du travail, même au moment où elle passait cette tenue confortable, ou encore après, quand le soleil s'est lancé dans cette esthétique pour photographe, la sonnerie du téléphone n'a à aucun moment retenti.

Tout est calme, silencieux ainsi depuis son retour du travail, aucun bruit, si ce n'est celui de ses propres pas, et puis le bouchon d'un bordeaux, la première coupe qu'on se verse, si peu de bruits, pas la moindre sonnerie de téléphone. Elle s'avance pourtant vers l'appareil, sa main se baisse, on la croirait engagée dans ce geste qui va se saisir du combiné, et puis non. De nouveau, elle se redresse, ses deux mains tiennent à présent la coupe vide. La sonnerie n'a pas retenti, la femme n'a pas soulevé le combiné, n'a pas même esquissé le geste qu'il faut pour composer un numéro, elle s'est redressée, s'est immobilisée tout près de l'objet, elle a renoncé, semble-t-il. Et puis à présent, comme sur une décision tout d'un bloc, elle s'agite et, d'un pas décidé, se dirige vers le comptoir de la cuisine, là où est demeuré le bordeaux. On sent qu'elle va se saisir de la bouteille, se verser une seconde coupe, et puis non. C'est le contraire qui se produit : elle pose la coupe près de la bouteille, fait volte-face, et du même pas décidé, se dirige vers une autre pièce, la salle de bains, le miroir de la pharmacie, celui qui reflète son visage. Elle ne saurait trop décrire ses traits. Ou plutôt ils sont à ce point familiers que les décrire lui semblerait banal, comme on manque de mots à propos de choses trop coutumières, comme on se rappelle les mots des autres, mais qui font si étranges quand c'est de soi qu'il s'agit, de ce visage ou de ce corps de chaque jour, ces traits mais le téléphone qui n'a pas sonné. D'ailleurs, si elle s'est ainsi rendue à la salle de bains, ce n'est pas dans le but de s'observer dans la glace. Elle ouvre le miroir coulissant de la pharmacie, saisit un flacon de comprimés, elle est certaine de ne pas avoir pris encore son comprimé, celui de ce soir, elle est certaine que la sonnerie du téléphone n'a à aucun moment retenti ce soir, elle ouvre le flacon, prend un comprimé, replace le flacon, fait coulisser en sens inverse le miroir, et c'est de nouveau vers sa cuisine qu'elle se dirige, le comprimé dans sa main droite alors que de la main gauche, elle se verse une seconde coupe de bordeaux. Qu'il soit contre-indiqué d'avaler le comprimé avec une gorgée de vin, elle en est parfaitement consciente. Mais le comprimé avec le vin, ce soir ou un autre, quelle importance, puisqu'elle revient, la coupe pleine à la main, dans la salle de séjour. Et ce n'est que distraitement, au passage, que son regard perçoit le téléphone. Puisqu'elle se dirige vers la porte-fenêtre, on se demande si c'est à cause du bordeaux qu'un coucher de soleil pour photographe semble si triste, une beauté éphémère, inutile, une beauté que des enfants tout à leurs devoirs ou des parents embarrassés de problèmes financiers ne remarqueront même pas. Tout comme ils ne prêteront aucune attention au téléphone qui n'a pas sonné, il est tellement plus difficile de prendre conscience des choses qui auraient pu mais ne se sont pas produites, que de celles qui se manifestent, fût-ce en vous dérangeant. Mais elle, elle porte sa coupe à ses lèvres, devant les rougeurs d'un ciel qui ne va plus tenir longtemps encore cette rareté dans la beauté du soir. Elle songe à des gestes, ceux tout aussi simples que de porter une coupe à ses lèvres, on s'incline légèrement, on saisit le combiné d'un téléphone, on compose le numéro, on dit des choses tout aussi simples, celles qui n'embarrassent personne, *j'espère que je ne te dérange pas.*

On songe à ces gestes et en même temps à des gens qui auraient perdu le mode d'emploi d'un appareil familier, qui seraient soudain pris d'une sorte de panique devant un appareil à l'usage pourtant quotidien, qui hésiteraient, n'oseraient pas, alors qu'au travail, quand on est secrétaire de direction, le téléphone et puis chez soi, non, ce serait différent, une séquence de gestes et de paroles difficile, un moment infranchissable, la peur de déranger peut-être, que l'autre au bout du fil n'ose pas, *tu m'excuseras, mais j'étais justement en train de,* on songe à tout cela, mais d'abord que le vin est tellement plus simple, sûrement plus adapté au moment, aux circonstances, on songe tout aussi bien que sa coupe est vide cette fois encore et que ces idées, ces bêtes inquiétudes ne vous seraient pas venues si vous aviez songé à prendre votre comprimé, et c'est précisément pour cette raison que la femme laisse là un coucher de soleil, presque un souvenir à présent, qu'elle pivote et puis se dirige vers la cuisine, prenant bien soin d'éviter cet objet sur la table basse, cet objet qui est responsable de tout et qui s'obstine à ne pas faire entendre sa sonnerie, voilà pourquoi elle se dirige vers la cuisine, se verse encore du bordeaux — il faudra en ouvrir une autre tout de même —, et puis à présent, c'est dans la salle de bains qu'elle croise son regard, devant la glace de la pharmacie, les mots sont tellement inadéquats quand on cherche à les regrouper pour décrire son visage, autant faire coulisser immédiatement la glace qui sert de porte à la pharmacie, tout cela, toutes ces pensées sombres ne lui seraient pas venues si elle avait accepté plus tôt de se rendre à l'ordonnance, de prendre ce comprimé avec lequel, comme par magie, les idées reprennent chacune sa place, et tant pis si c'est avec une gorgée de rouge qu'on avale le comprimé, d'ici dix minutes, tout sera redevenu normal, tout aura repris sa place, chaque objet aura retrouvé sa beauté, sa fonction dans la nuit venue à présent, le masque aztèque, les reproductions sous verre, mais en nombre limité, et c'est alors, comment en douter, c'est alors qu'après avoir allumé la lampe sur pied, mais un éclairage tamisé, tout juste ce qu'il faut pour redonner leur âme aux objets de la pièce, c'est alors que posément, on se dirigera vers le téléphone, saisir le combiné est si simple et, une fois qu'on a déposé la coupe là, tout juste à côté du téléphone, composer un numéro est si courant, si commun, on le fait tant de fois chaque jour au bureau, alors comment se fait-il qu'hésitent ainsi les doigts une fois le second chiffre composé, comment se fait-il qu'on repose le combiné, qu'on s'assoit là, dans le fauteuil près de la table basse, peut-être suffit-il d'une simple gorgée de rouge pour retrouver l'aisance dans la séquence des gestes à poser ? Peut-être suffirait-il de simplement se montrer docile à l'ordonnance, un seul comprimé par soir et vous verrez, ces troubles-là disparaîtront comme d'eux-mêmes, pourquoi résister ainsi à la médication, il n'y a tout de même rien de malfaisant chez cet homme, fût-il médecin, pourquoi s'entêter ainsi plutôt que de se lever ? De toute manière, on est adulte et il n'en saura rien de ce crochet vers la cuisine, un bourgogne à présent puisque le bordeaux, une coupe qu'on apporte avec soi jusqu'à la salle de bains, il est si simple de faire coulisser la glace sans y jeter le moindre regard, si simple de se saisir d'un flacon, de prendre dans sa main un comprimé, de replacer couvercle, bouteille et glace avant de porter à sa bouche le comprimé, puisqu'un seul par jour, le soir, après le travail, un seul et tous ces troubles bénins, avouons-le, disparaîtront d'eux-mêmes, et, dans le cas d'un comprimé, puisque de toute façon le vin est contre-indiqué, bordeaux ou bourgogne, quelle différence ! Et c'est exact que le calme revient, qu'on peut retourner dans la pièce de séjour, regarder n'importe où à présent que le coucher du soleil est une affaire du passé, on peut regarder n'importe où, être fière de ce plancher de bois franc, pas la moindre poussière, le masque qui rappelle la Grèce, le vase, les Aztèques, on peut même s'asseoir là, tout près de la table basse, laisser aller son regard n'importe où, même sur le téléphone, on peut le regarder sans la moindre crainte, sans la moindre envie à présent que le soleil est couché, qu'on a pris son comprimé avec un petit verre de rouge, qu'est-ce que ça change, il n'en saura jamais rien. Et c'est bien d'être assise là, tout près, quand retentit la sonnerie du téléphone, c'est bien. Car il est alors possible de prendre toutes les décisions qu'on souhaite, je réponds, je ne réponds pas, la sonnerie qui retentit, trois, quatre fois, le verre de rouge tout près, presque vide mais on sait la bouteille sur le comptoir de la cuisine, la sonnerie qui retentit six, huit fois, il suffira, on le sait, il suffira simplement, tout à l'heure, de cesser cette résistance stupide face à une ordonnance, il suffira tout à l'heure, quand la sonnerie aura cessé de se faire entendre, qu'on se rende à la salle de bains, et qu'enfin l'on consente à prendre le comprimé quotidien qui rend dérisoires les sonneries, celle du téléphone et puis toutes les autres.

Méfiez-vous
des cartomanciennes

— Je vois choses étranges arriver à vous.

Croyant avoir monté son suspense et bien assis ses effets, la dame à turban se ménage une pause, comme si les esprits des cartes s'étaient emparés d'elle et la malmenaient drôlement, une sorte de vibration douloureuse de tout l'être visant à persuader le client que le tarif de la séance frôle le ridicule en regard de la souffrance qu'inflige l'exercice.

— Choses beaucoup étranges.

Je soupçonnais, derrière cet accent ostensiblement étranger, la Québécoise pure laine qui s'est payé deux semaines intensives chez Berlitz, section exotisme vraisemblable. En principe, j'étais suspendu à ses lèvres, son silence me suffoquait et autres métaphores du genre. Au lieu de quoi, j'en voulais à Julie. « Elle est formidable, tu verras. Et pour cinquante dollars encore ! Mais à condition qu'elle accepte de te prendre en rendez-vous . » Tu parles ! À ce prix-là, elle ouvre ses portes à n'importe qui. Ça m'apprendrait, cette fois encore, à faire confiance à Julie, ses goûts bizarres ! Un idiot dans un décor de série B, voilà à quoi je ressemblais. À mes frais, en plus !

L'autre triture sous mes yeux les méninges d'une douzaine de cartes, avec l'air de ces constipés qui ne passeront
pas la nuit.

— Grande surprise à la maison. En vérité, surprises plusieurs. Une mauvaise et une bonne surprises.

— Ça vous embêterait de commencer par la bonne ?

Cette fois, la dame quitte les cartes pour m'enligner, l'air
mauvais. En principe, le client n'a qu'à la boucler et à
prendre les choses dans l'ordre où on les lui présente.
Comme j'ai déjà versé les cinquante dollars, je la ferme, histoire d'éviter qu'on me vire avant que j'en aie tiré le
maximum.

— Argent, beaucoup argent. Plusieurs centaines, mille et
plus dollars attendre vous à la maison, beaucoup dollars.

Je suppose qu'il s'agit de la bonne nouvelle, mais je me
tais. Elle s'est remise à triturer les cartes et ses méninges,
dans cet ordre, ce qui a eu pour effet de lui ramener son air
mauvais.

— Vilain homme vous êtes, très vilain. Je vois images de
vous, sales images avec enfants faire choses pas bien ! Vous
vilain homme, sortir immédiatement de chez moi je prie
vous !

Elle se lève, hurle, m'indique la sortie et compte sur ses
décibels pour m'amener à déguerpir au plus vite.

Ça m'apprendrait à payer à l'entrée.

*   *   *

Cinquante dollars pour se faire traiter de pervers, quelle
époque, tout de même ! Ma voyante-extra-quelque-chose
s'était trompée de client. Bien sûr, elle aurait pu m'être utile.
Si, par exemple, elle m'avait prévenu qu'au moment où je
stationnerais devant chez moi (vous ranger voiture normale-

76

ment, mais pas descendre, attendre : grand danger !), un type se tiendrait sur mon balcon, ses yeux qui louchent à gauche puis à droite, sans arrêt, à deux mètres seulement de ma porte entrebâillée. Pas besoin d'être bien malin pour deviner la présence de complices à l'intérieur. On se demande un peu ce qui les intéresse chez moi à part une demi-bouteille de whisky et l'œuvre complète de Michel Foucault. (Vous très patience ; eux méchants et armés.) D'accord mémé, mais ils y mettent le temps. Par contre, si la patience n'a jamais été mon fort, la bagarre m'emmerde encore plus. Voilà pourquoi je me suis spécialisé dans les divorces, voyeur professionnel et photographe amateur. Je préfère malgré tout distribuer les papiers-mouchoirs au lieu des uppercuts.

À présent, le guetteur s'est immobilisé. La porte de mon appartement s'ouvre, l'autre lui refile un porte-documents, sort et referme avec précaution. (Chance être pour vous ; pas brisé porte, pas fracturé fenêtre.) Après un coup d'œil rapide, mes deux visiteurs descendent l'escalier en silence, se retrouvent au rez-de-chaussée. Nouvel escalier, nouveaux regards suspects, ils sont sur le trottoir et leur voiture, c'est la conduite intérieure évidemment banale qui démarre en silence une fois les portières refermées avec la discrétion d'un surveillant de dortoir.

*   *   *

(Eux pas Foucault ou whisky, vous vraiment beaucoup chance.)

Ça ne va pas. Rien qui colle. Deux types débarquent chez moi, trempent dans une mise en scène louche. Seulement, ils n'emportent rien. J'ai beau fouiner partout, me livrer aux vérifications les plus farfelues, je suis certain qu'ils n'ont rien pris. N'empêche que, sans être parano, pareille intrusion... Il y a bien une raison. Alors je recommence : le whisky intouché jusqu'à présent (vous pas devoir prendre alcool, j'assure : très vilain boire à même le goulot, incivil), Foucault également intouché, le phono à sa place, les disques compressés dans ce rayon trop étroit pour le nombre d'albums et puis vlan ! Je regarde le rayonnage des disques ou plutôt mon regard s'arrête, se fige là, c'est plus fort que moi, je retire les albums un à un, je les inspecte. Non pas de peur qu'il en manque : j'en suis encore au vinyle et ne possède aucun album rare. C'est le contraire, exactement, je parierais n'importe quoi là-dessus. Le rayon offre l'espace adéquat, exact, calculé, je suis bien placé pour le savoir. Sauf qu'on le dirait soudain rétréci, comme si les disques avaient gonflé, que la place leur manquait. Voilà pourquoi j'inspecte. Les coffrets en tout premier lieu : *Duke Ellington*. Rien. *Charlie Parker*. Pas davantage. Et puis *Louis Armstrong*. Déjà, au bombage du coffret, je sais que j'ai trouvé : ça fait trop volumineux. Je m'assois, j'ouvre le coffret et, sous les quatre disques, je découvre une enveloppe brune.

Je décachète. Au-dessus d'une pile de photos, une lettre qui explique le côté hautement confidentiel de l'affaire, qui fixe le tarif à deux mille dollars contre négatifs, qui insiste lourdement sur les multiples précautions et les peines sévères prévues par la loi. Le plus étonnant, je le découvre ensuite ; c'est la signature. La mienne ! Parfaitement imitée, de quoi confondre le plus futé des graphologues. Mais le plus esthétique se trouve sous la lettre. Ce sont les photos elles-mêmes, une trentaine en tout, des corps à peine pubères, des clichés qui font l'économie de tout produit textile, des systèmes pileux nettement plus timides que les poses, des garçonnets et des fillettes qui jouent au docteur (vilain, vous regarder ces choses) et à d'autres jeux pour clients plus cruels, n'importe quoi qui vous vienne à l'esprit et qui, comme il s'agit de mineurs, va chercher dans les sept ans ferme de réclusion si le juge vous fait une fleur.

* * *

De nouveau, me voici dans mon fauteuil. Mais seulement une fois que je me suis acquitté de ma tâche : ranger les disques dans le rayonnage trop étroit à présent, étant donné l'allure ventrue du coffret *Armstrong*. Non pas que je sois victime d'une tendance obsessive au rangement. Seulement, tout ça sent la machination à deux kilomètres. Quelqu'un me vise, cherche à me discréditer. Mais aux yeux de qui ? Plus personne n'a mis les pieds chez moi depuis le départ de Julie.

Malgré tout, je me suis tout de même permis une modification. Qui concerne non pas l'œuvre de Foucault, mais la bouteille de whisky que j'ai honorée, histoire de me stimuler. Côté posologie, pas certain d'avoir respecté l'ordonnance à la lettre. J'en suis à mon dernier verre et songe à tous ces gens qui nourrissent à mon endroit une affection profonde : les flics du municipal, qui m'ont gentiment proposé de démissionner une fois que j'eus découvert et révélé quelques affaires qui avaient gonflé leurs revenus sans pour autant les astreindre à des heures supplémentaires. Quelques époux également, que j'ai amenés à faire face au concept de pension alimentaire à cause de photos pourtant bien cadrées, au foyer, que j'avais prises d'eux dans des moments où ils faisaient une entorse à l'honorable concept de fidélité conjugale. Certaines épouses également qui, dans des contextes comparables, n'avaient simplement pas prévu devoir déménager.

En somme, mon quatrième verre de whisky insistait sur l'attachement que me portaient certains de mes concitoyens.

Leur nombre était trop élevé pour qu'il me soit possible de deviner la source de l'attention dont je devenais l'objet.

Ce fut précisément ce moment que choisit la sonnerie de ma porte pour me tirer de mon état méditatif. Il se faisait tard. À cette heure, on ne vient plus vous annoncer que vous avez gagné à une quelconque loterie.

Je me levai et me rendis à l'entrée. Lorsque j'ouvris, je découvris non pas une, mais deux connaissances : le lieutenant Lamarche, qui aurait été promu capitaine si je n'étais intervenu dans sa carrière avec mon sens de la justice, et un blondinet menu qui servait d'indicateur dans les milieux de la pédale et des seringues.

Opportun, je manquais de compagnie.

— Salut, Marvin.

Lamarche arborait un sourire qui sert couramment au cinéma dans ces moments où l'assassin fait durer le plaisir avant d'appuyer sur la détente.

— Salut, Lamarche. Tu t'es dégoté une fille, cette fois ?

Blondinet n'eut pas l'air d'apprécier ma remarque, Lamarche se rembrunit considérablement et perdit toute trace de jovialité.

— On peut entrer un moment ?

— Qui fermerait sa porte à un aussi vieil ami, dis-je sur un ton qui cadrait bien avec le naturel de la scène.

Je leur cédai la voie. Blondinet suivit Lamarche et, au passage, me gratifia d'une grimace ; il s'agissait probablement d'un exercice de mépris. Pour ce faire, il dut se donner un torticolis vertical à cause de sa petite taille.

— Toujours aussi joli chez toi, Lou — il avait pris l'habitude de me coller ce sobriquet. Je constate que, depuis le temps, tu n'as pas redécoré.

Il passa sur un mur un doigt préalablement mouillé de

salive, ce qui laissa une trace nette et pâle. Cela suffit à Blondinet pour qu'il retrouve sa bonne humeur.

— Dis donc, Lamarche, si tu me montrais ton mandat avant que je suspende à des cintres vos impers très *flic* ?

Je l'ignorais encore, mais il s'agissait de mon dernier mot d'esprit dans le vestibule.

Comme Lamarche se trouvait à présent derrière moi, je ne vis pas venir le coup. J'en ressentis les effets dans les reins, perdis le souffle sur-le-champ et m'écroulai. L'adage *On ne frappe pas un homme par terre* n'étant pas connu de Lamarche, il me gratifia de quelques coups de pied qui me firent regretter ce dédain des flics pour le port des espadrilles. Sans doute avais-je dans ma chute échappé mon sens de l'humour, car il me faisait à présent défaut.

— Mais voyons, Lou. Pas question de mandat pour une visite amicale, histoire de se rappeler le bon vieux temps.

Apparemment, le jeunot trouvait amusant tout ce qui émanait du représentant de la loi. Il gloussait encore quand il m'enjamba pour suivre son maître dans la salle de séjour.

Comme personne ne s'empressait de me venir en aide, mais qu'on s'occupait plutôt à fouiner dans mes affaires, je dus me charger seul de l'opération qui consiste à se remettre sur ses jambes.

Lorsque je parvins dans l'encadrement de la porte, appuyé contre le chambranle, je retrouvai mon souffle et l'usage de la parole.

— Qu'est-ce que tu cherches, Lamarche ?

Quand il souriait, il exhibait les trous de sa dentition ; ça donnait envie de pipi aux jeunes qu'il interrogeait.

— Tu n'as rien à cacher, Lou, n'est-ce pas ?

— Non.

À ses yeux, ce simple « non » rendait désuète la formalité du mandat et autorisait *illico* la fouille.

— Qu'est-ce qui t'amène ? À quoi ça rime, tout ça ?

Lamarche revint dans ma direction.

— Simple coup de fil anonyme.

— Et alors ?

— Assieds-toi, mon vieux. Je te trouve mauvaise mine. Le whisky ne te va pas, je te l'ai déjà dit, Lou.

Pendant ce temps, l'autre fouinait un peu partout, dans mes livres, derrière les cadres, sous les coussins du canapé.

— Tu vois, Lou, le coup de fil disait que tu donnais encore dans la photo, sauf que tu avais changé de rayon. La jeunesse, l'enfance... Une sorte de nouvelle combine, un petit commerce par la bande. À côté de toi, David Hamilton passerait pour un grand timide.

L'idée de réagir ne me vint pas. De toute manière, j'en aurais été incapable. Il fallait reconnaître que Lamarche avait mis au point une méthode particulièrement efficace pour peu qu'on ait cessé de se faire des ulcères avec le manuel des procédures autorisées par la loi. Il s'approcha.

— Nous, on te connaît, Lou. T'es réglo, on le sait. Pas vrai, dis ?

À cette distance, plus le moindre doute possible : il n'avait pas renoncé au cigare bon marché.

— Alors on est ici pour te rendre service, pour te blanchir de tout soupçon, que rien de fâcheux ne te fasse perdre ta licence de privé, tu piges ?

Il se détourna, s'éloigna. À présent, la petite fripouille, agenouillée, s'intéressait à mon côté mélomane.

— Ça va, patron. J'ai trouvé !

Quand il se tenait sur les genoux, sa voix déjà fluette lui venait d'ailleurs, grimpait subitement d'une octave. Il brandissait le coffret *Armstrong*, épanoui, jubilant, un amateur au volant d'une Ferrari. Lamarche s'approcha, se pencha, saisit le coffret et l'ouvrit. Il redonna le coffret au jeunot une fois qu'il en eut extirpé l'enveloppe brune. Avant d'ouvrir, il m'enligna.

— Il me semblait que tu gardais tes dossiers dans la garde-robe que tu appelles ton bureau ?

— Pas quand il s'agit d'affaires personnelles.

Alors Lamarche sortit les photos de l'enveloppe. L'autre, qui salivait, se rapprocha, excité. D'où j'étais, il m'était impossible d'apercevoir ce qui leur tombait sous les yeux : la photo de noces de mes parents, ou Alice, ma première petite amie avec son béret sur le côté, ou mon père, tenant à bout de bras son brochet de quatre kilos.

Mais je perçus pourtant quelque chose de tout aussi agréable : leur sourire qui, à l'unisson, alla choir par terre, sans bruit, de même que leur assurance de bâtisseurs de cathédrales. À les voir, il devenait évident qu'ils n'étaient pas amateurs de photos de famille.

*   *   *

Je récupérai peu à peu. Après seulement, je me changeai : pantalon noir, chemise et veston sombres, le tout recouvert d'un imper gris, col relevé pour le même prix. À la porte, je pris l'attaché-case noir qui, comme le reste du nécessaire, n'avait pas servi depuis longtemps. Je sortis.

La décision de faire le trajet à pied, je l'avais prise depuis le début. Je me rendis jusqu'au boulevard Saint-Joseph. À cette période de l'année, Montréal n'est plus rien : du béton, de l'asphalte et du verre sales sous la bruine, ce que la lumière jaunasse des lampadaires n'arrange pas, le froid des rues sans neige, qui rappelle Berlin. Bien sûr, le bus m'aurait conduit avec plus de confort jusqu'au métro. Mais la marche d'un pas normal, ni accéléré ni touriste, me semblait plus indiquée.

Je ne croisai pas la moindre connaissance.

Une fois dans le métro, mon itinéraire ressembla à celui du provincial curieux de découvrir tout Montréal sous terre. On prend une ligne dans une direction, on descend, on monte dans une rame qui vous ramène sur vos pas, on change de ligne, on poursuit ce manège désordonné dans des voitures aux trois quarts vides, on change encore de ligne puis de direction, exactement comme si, à présent, l'on craignait d'être suivi, jusqu'à ce qu'on juge venu le moment de quitter le métro, à Berri-UQAM.

J'accélérai le pas, empruntai les escaliers roulants, en grimpai deux à deux les marches jusqu'au terminus Voyageur. Une fois là, je m'approchai des vitrines au travers desquelles on aperçoit les autobus, les files d'attente, les autres qui arrivent et qu'on accueille, les sourires les embrassades, alors que les reflets vous renvoient les images de ce qui se trame dans votre dos, les passants, les flâneurs, ceux qui courent après le temps, ceux qui n'ont nulle part où aller, les autres qui patientent.

Quand je jugeai le moment propice, je quittai mon poste d'observation pour me rendre à la consigne. J'avais déjà en main la monnaie exacte. Aussi je tombai sur le premier casier libre, y déposai la mallette et retirai la clé que je fourrai dans la poche de mon imper, jetant un coup d'œil aux environs. Tout allait comme je voulais.

Je quittai le secteur, revins à mon poste d'observation puis me dissimulai derrière une colonne. Celui qui me suivait depuis chez moi et que j'avais facilement berné avec la balade louche en métro s'approcha de la consigne. Il se donna même la peine de noter dans un petit calepin le numéro de mon casier. Facile de reconnaître que j'avais affaire à un débutant : il portait une tenue vestimentaire semblable à la mienne et s'en trouvait malin. À un point tel qu'une fois son boulot terminé, il ne s'avisa pas de vérifier s'il était à son tour suivi. Un guignol !

* * *

C'est beaucoup plus tard que je pénétrai dans le vestibule du 3539 de la rue Papineau, un immeuble d'habitation immense aux tarifs exorbitants sous prétexte qu'il donne sur le parc Lafontaine, une vue magnifique à laquelle ont accès la moitié des locataires, ceux de la façade.

Une fois dans le vestibule, j'enfonçai le bouton d'une douzaine de sonnettes. Sur le tas, il se trouve toujours au moins un occupant qui croit encore aux miracles et actionne sans autre formalité le mécanisme qui vous permet d'entrer. Cela ne manqua pas.

Je choisis l'escalier plutôt que l'ascenseur. Dans le couloir du sixième, personne. Aussi me rendis-je en toute quiétude à la porte du 618. Je me plaquai contre le mur et sonnai. J'entendis qu'on venait, qu'on prenait des précautions, devinai qu'on observait par le judas. Une voix, celle d'un homme, dit alors : « T'en fais pas, y a personne. » Le type s'éloigna et, plus avant dans cet intérieur parfaitement insonorisé selon la réclame, une femme lui répondit : « Pas évident. C'est un coup foireux, je te le dis depuis le début. »

De nouveau, j'actionnai la sonnette. Cette fois, je perçus distinctement le silence le plus complet. Puis un petit bruit métallique, la poignée qu'on tourne en douceur, la porte qui à peine s'entrebâille, le moment d'agir, quoi ! Je donnai un solide coup d'épaule et la chaîne du verrou ultrasécuritaire céda au premier assaut.

Alors j'entrai. Je n'eus pas à tabasser le type pour lui faire entendre raison. Sans doute se trouvait-il derrière la porte au moment des grandes manœuvres. À présent, accroupi, il geignait. La femme, elle, me regardait, figée sur place.

— Bonsoir Julie, dis-je sur un ton calme.

À ce moment, le type se redressa comme il put. Mais son état l'empêchait de jouer au vilain. Même en parfaite condition, il n'avait pas le gabarit de l'emploi.

— Ne fais rien, Roger, je t'en prie.

Apparemment, cet impératif, qui lui évitait de passer pour ce qu'il était, lui convenait parfaitement. Ne me restait plus qu'à tirer les ficelles.

— La dame et moi, nous avons à causer.

Celui de ses yeux qui était encore en usage se pointa dans ma direction, dans celle de Julie, puis de nouveau vers moi, un vrai petit mécanisme giratoire à répétition, quelque chose de bien rodé.

— Fais comme il dit, Roger.

J'intervins.

— Tu remets ton petit veston sombre, ton gentil imper noir dont tu relèves le col et tu sors te promener. À pied, car le métro ne fonctionne plus à cette heure. De toute façon, le métro, tu as eu ta dose ce soir, pas vrai ?

Il ne répondit pas, ce qui ne m'étonna nullement.

— Et ne t'inquiète pas pour la dame. Je suis venu pour lui parler, c'est tout. Dans une heure, tu reviens, elle te soigne, te dorlote, tu retrouves ta place, pigé ?

Il lui jeta un regard atrophié et contrit. Puis, sagement, il fit comme j'avais demandé et referma précautionneusement derrière lui.

Sans rien dire, Julie quitta l'entrée et s'avança dans la pièce de séjour. Je l'y suivis.

— Whisky ?

Je déclinai son offre, l'alcool m'ayant jusque-là plutôt attiré des ennuis.

— Alors, qu'est-ce que tu me veux ?

Je m'approchai légèrement et, sur un ton posé, lui répondis :

— Deux choses. Comprendre. Plus les cinquante dollars que tu m'as fait perdre.

Elle ne savait que dire ou alors, par quel bout commencer. Je dus lui venir en aide.

À mes yeux, les choses étaient claires. Nous avons eu une histoire, c'est entendu. Et même des moments délicieux. Sauf que, de confidence en confidence, j'apprends à mieux te connaître. Alors je découvre chez toi des penchants qui ne me conviennent pas, certaines préférences d'un goût particulier. Est-ce que je t'en fais reproche ? Non. Je me tire et on n'en parle plus.

Cette fois, l'usage de la parole lui revint.

— Oui, mais tu sais sur moi des choses, tu peux toujours...

Je la coupai.

— Faire chanter les gens, ce n'est pas mon rayon. Tes histoires, ça te regarde. Tant que tu respectes certaines limites et que tu ne contreviens pas ouvertement à la loi, même la police s'en balance. De plus, je ne suis plus chez les flics ! J'y aurai au moins appris à la boucler.

— Je croyais...

— Tu t'es trompée. Je ne suis ni rancunier, ni hargneux,

ni jaloux de ton jules, s'il faut tout dire. Ta vie, tu la mènes comme tu l'entends. Compris ? Mais ta petite combine pour me salir, me faire perdre ma licence et, éventuellement, me forcer à quitter la ville en vitesse, là, tu es allée trop loin !

Elle me regarda, baissa les yeux, puis suça son pouce, un geste qui avait trouvé le moyen de m'attendrir par le passé.

— Tu me dois cinquante dollars. C'est peu, j'en conviens, mais ils m'appartiennent.

Elle oublia soudain son pouce. Quelque chose lui échappait.

— Bien des gens m'en veulent, ajoutai-je. Pour les motifs les plus divers. Mais que tu te trouves à l'origine de cette saloperie, ça me dépasse. D'ailleurs, je n'aurais jamais fait le lien avec toi sans ta voyante extra-machin. Elle se l'est ouvert un peu grand, se croyant bien à l'abri derrière son histoire de cartes à la gomme. Voilà ce qui m'a mis sur ta piste.

Soudain, elle comprit et ne put s'empêcher de pouffer de rire. Un fou rire qui fut arrêté en plein milieu par la conscience de la situation délicate dans laquelle elle s'était mise. Alors elle me servit son regard grave, celui des yeux par en dessous, un petit manège qui m'avait coupé les genoux à quelques reprises.

— Et après les cinquante dollars ?

— Après, rien. Tu t'amuses avec ton guignol comme tu l'entends, avec lui, avec les autres, avec qui tu voudras. Tu m'oublies et la vie continue.

Elle me tourna subitement le dos, se rendit à une table sur laquelle était posé son sac à main, en tira des billets qu'elle me tendit.

— Voilà ! C'est tout ?

— Presque.

Cette fois, je profitai un peu de mon effet, histoire qu'elle me refasse ces yeux grands ouverts, tristes, qui me manquaient à certains moments, quelque chose de la petite fille qui entre dans la vie par un soir d'orage.

— Presque ?

— Ces cinquante dollars, tu peux les récupérer. Avant de venir ici, après la filature de ton jules pour enfants de chœur, je suis passé chez ta voyante. Discrètement, sans qu'elle n'en sache rien.

De toute évidence, Julie ne voyait pas où je voulais en venir.

— Elle te rendra les cinquante dollars. Une partie des clichés-jeunesse que tu as si gentiment fait déposer chez moi se trouvent présentement chez elle, bien cachés. Cela la place dans une situation précaire, devant un risque qu'elle ne voudra pas courir. Elle te rendra ton argent.

— Une partie seulement des photos ?

À présent, elle retrouvait ses moyens.

— Oui. Les autres, je les garde en lieu sûr, au cas où tu t'aviserais de récidiver. Pigé ?

Elle se tut.

— Oh ! Un dernier détail. Au cas où l'idée te viendrait d'amener les flics fouiner dans mon casier au terminus Voyageur, tu sais bien... celui dont ton jules a minutieusement noté le numéro dans un petit calepin. La mallette qui s'y trouve contient effectivement des photos, mais pas celles que tu crois.

— Lesquelles, alors ?

— Des photos de toi, tu te rappelles ? Et qui feraient saliver les flics si tu t'avisais de les mettre sur ce coup. Pigé ?

Le dernier morceau de sa machine venait de s'écrouler, entraînant vers le bas son maxillaire inférieur. Je lui tournai le dos, rebroussai chemin vers la sortie, ouvris la porte. Elle m'avait suivi, me regardait partir. Avant de refermer, je lui lançai :

— Je vois choses étranges préférable pas arriver à vous.

Et je disparus.

III

Ça dépend des mots

Le monde aurait un nom

Pour Rachel, les choses se passent comme avant. Elle semble ne se soucier de rien, continue à refiler du chocolat chaque vendredi à Mme Rousseau, laquelle, en contrepartie, ferme les yeux lorsque, tard le soir, quand les néons de la rue depuis longtemps éteints, seules fonctionnent encore les veilleuses au laser, je me glisse parmi les ombres sur les trottoirs, jusqu'aux noirceurs qui mènent à l'immeuble de Rachel, la porte arrière, celle qui conduit au sous-sol, cette porte que ne verrouille pas Mme Rousseau en retour de quelques chocolats de la main à la main le vendredi, le sous-sol puis les couloirs de l'immeuble, l'escalier plutôt que l'ascenseur, histoire d'éviter le moindre bruit, que rien n'éveille les soupçons des autres locataires, pas plus qu'elle ne remarque, Mme Rousseau, quand au petit matin, aux premières lueurs qui pâlissent les couloirs de l'immeuble, mon trajet inverse vers la sortie, les souliers dans les mains à cause des éventuelles insomnies de certaines locataires, Mme Rousseau qui ostensiblement ne remarque pas ma sortie furtive et me le signale par des ronflements exagérés à la limite de la vraisemblance, je peux passer en toute quiétude devant la réception de l'immeuble, le minuscule territoire de Mme Rousseau, un lieu où se dégustent en cachette les chocolats que, chaque fois, je parviens encore à procurer à Rachel, *ne t'en fais pas je me débrouillerai, à la semaine prochaine, je t'aime.*

* * *

Il a changé, je crois, il me fait sourire un peu plus encore avec son air de petit garçon tracassé qui le cache, soudain investi de quelque chose venu d'un seul coup, un mystère pourtant prévisible, un homme subitement dépassé, qui a franchi un palier ne sait trop encore comment retomber sur ses pieds, avec ces chocolats à trouver chaque fois il se débrouille pourtant, le chocolat et puis le reste également, la porte arrière de l'immeuble, la pénombre de l'escalier le couloir, un regard grave et habité quand je lui ouvre *entre vite, mon chéri,* comme si dissimuler ses appréhensions ses craintes lui était plus difficile qu'à moi, un sourire si ouvert alors que je songe à lui qu'il est là ses mains sa voix, toutes mes inquiétudes fondent dans un regard, il a cette fois encore apporté les chocolats, il me devient si simple, tellement plus facile dans ces moments de garder le silence sur mes propres craintes ou alors de taire ces remarques des autres filles de l'immeuble ou celles des collègues, toutes les autres sans cesse aux aguets, *Tu me sembles changée, Rachel, mais que tu as les yeux cernés ! Est-ce que tu ne manges pas un peu trop ?* des étourdies qui tournent en rond dans des nuits vides alors que lui, il me regarde, me donne ces chocolats, me parle alors que seul le son de sa voix, son timbre, peu importe alors ce qu'il dit pourvu que sa voix, mais ses lèvres et ses mains aussi bien, comme on ne sait pas de quelle manière on est venue au lit et qu'aucun prix ne semble exagéré quand on peut somnoler dans les bras de cet homme, le monde a une odeur.

* * *

Non. Rachel n'a pas changé. Ou alors seulement à mes yeux, comme quelque chose en elle se serait adouci, un regard grave et doux quand sur moi elle le pose, *prends soin de toi, mon chéri, à la semaine prochaine.* J'ai même remarqué que mes départs en douce, ce moment fragile, du verre sur le coin d'une table, *il faut que j'y aille à présent, je pense à toi tout le temps,* ces moments que comme moi, plus que moi peut-être, elle vivait sur le mode de l'arrachement, *embrasse-moi une dernière fois, prends-moi dans tes bras encore une minute une seule,* même ces moments à présent lui viennent avec plus de tranquillité, comme on ne doute plus de la parole de l'autre, qu'il y ait une fois suivante et que, d'ici là, il trouvera bien les chocolats complices qui ouvrent jusqu'à l'appartement de Rachel, conduisent au lit, à l'étreinte, celle des fins du monde et du commencement de tous les passés, toutes ces choses qui invalident ou rendent risibles les lois les interdits la gestion des corps et des ventres, *je t'aime.*

* * *

Il me fait de l'effet, ainsi, abandonné dans mes bras, les plis sur le front, le souci même lorsqu'il sourit ou que sa bouche sur moi, c'est si touchant, ce regard qui n'en revient pas, qui se pose sur mon ventre, il songe à moi, à lui-même, à mon ventre. Je n'ose pas lui parler des autres locataires, les commentaires des voisines elles sont gentilles pourtant, et je sais bien que ce qui se transforme en moi me vient de lui comme un présent, un mystère auquel il prend part, et face aux autres filles de ce secteur, Mme Rousseau a beau tenter de les faire taire, mon alibi d'un soudain embonpoint ne va pas les berner indéfiniment, ce poids nouveau qui me vient surtout au ventre, il y a une limite à la naïveté et si, malgré les efforts de Mme Rousseau, un bruit venait à courir jusqu'au Centre sanitaire, que répondre aux préposées ? Et aux doctoresses, puisque je ne suis pas — et depuis fort longtemps ! — passée au Centre des conceptions, ne me suis pas inscrite sur la liste des aspirantes génitrices, aucun rendez-vous, pas la moindre injection, et ce ventre qui travaille malgré cela, qui me transforme me fait autrement sans pour autant avoir même mis les pieds au Centre, elles ne sont pas dupes, les doctoresses, et soupçonnent facilement, dans ces conditions, malgré les édits les lois les interdits, elles en viennent fatalement à la conclusion qu'un homme dans votre monde, vous auriez donc connu un homme, et c'est à cause de lui, cette métamorphose de votre corps, le monde aurait un nom autre que le vôtre.

*   *   *

J'étais le seul à m'en faire, à m'imaginer Rachel aux prises avec les autres locataires, ou plutôt embarrassée par des allusions des questions insidieuses, *mais ma jeune demoiselle, cette fatigue vos yeux cernés, ne manquez-vous pas de sommeil ? il me semble que vous avez changé est-ce que vous n'auriez pas pris du poids ces derniers temps ?* Ces questions, je les imaginais peut-être parce qu'au bureau, parfois, on m'en servait de semblables *tu as l'air songeur mon vieux, quelque chose ne va pas ?* Et pourtant, les choses me paraissaient tellement plus simples pour moi, le plus ardu consistant chaque semaine en démarches feutrées, billets glissés dans une main discrète contre un paquet ficelé, une boîte sous papier brun, des chocolats, Rachel m'ouvrirait les bras *je t'aime*, m'ouvrirait les bras jusqu'ailleurs, au lit, le

demi-sommeil quand on a, cette fois encore, tout trouvé et
que l'autre, là, contre soi, dort la bouche entrouverte, le bonheur existe dans des yeux fermés. Les choses deviennent
alors d'une telle simplicité que les questions ne passent plus,
on les retient pour soi, on se traite de tous les noms, de nerveux puisqu'elle, le sommeil de l'autre vous lui suffisez dans
le sommeil, et les inquiétudes qui vous semblaient les plus
légitimes perdent toute consistance, vous renvoient l'image
d'un homme livré à d'inutiles tourments, *je voudrais tellement que rien de fâcheux ne t'arrive, ma chérie, à toi ton ventre à cet autre encore en toi,* et voilà que je gâche les
moments les plus précieux, tu dors bouche entrouverte,
presque un sourire, un abandon d'enfant dans mes bras et des
chocolats, là, sur la table, malgré les secteurs les interdits les
centres, le monde va quelque part.

Le refuge

J'avais choisi cet hôtel pour sa tranquillité. Hors saison. Contre un pourboire substantiel, on m'accorda une chambre en retrait, dans une aile quasi déserte.

Le jour, quand je ne demandais pas qu'on monte mes repas à la chambre, je me présentais à la salle à manger à des heures où les touristes les plus tardifs avaient déjà terminé le café.

Mais une nuit, proche du sommeil, j'entendis qu'on pleurait dans la chambre voisine, un enfant que personne ne semblait consoler. Cela dura longtemps, plus d'une heure.

Le lendemain, lorsque je m'en plaignis à la direction, on me regarda d'un air suspect, puis inquiet, me faisant remarquer que j'étais le seul occupant de l'étage. Comme j'insistais, vexé par l'incrédulité que suscitait ma démarche, on me rappela que ma chambre n'était voisine d'aucune autre.

Et c'était vrai. À droite se trouvait un débarras que personne, passé seize heures, ne fréquentait plus. Sur la gauche débouchait un corridor qui venait d'on ne sait trop où.

Pourtant, ce soir-là, à la même heure que la veille, un enfant se mit à hurler, un enfant que personne, apparemment, ne se souciait de consoler.

Les fenêtres

D'après Rêve perdu,
dessin en couleurs,
de Marius Allen

Je suis dans la pièce de séjour, debout devant la fenêtre. Auparavant, je ne savais rien des fenêtres. Ou plutôt si elles m'importaient, c'était d'une autre manière. Il devait s'en trouver chez moi, partout, à cause de la lumière. Je tenais à vivre dans un intérieur clair, la lumière qui, en quelque sorte, vous pousse à agir, à regarder les choses comme un don.

À présent, les fenêtres, c'est différent. Je regarde dehors. Un peu comme s'il s'y trouvait la vie. Par exemple, si je suis occupé et que j'entends le bruit d'une voiture, je m'interromps, me rends à la fenêtre, regarde passer la voiture, ou ce chien qui aboie au loin, ou ces promeneurs dont les voix, au début, me viennent dans le flou, que je devine, que j'entends distinctement, une conversation sur n'importe quoi, anodine.

La lumière qui entre m'indiffère. Elle entre, elle le fait chez tout le monde. Moi, je regarde à la fenêtre. Je regarde.

Même si en apparence il ne se passe rien. Il y a sans cesse quelque chose qui bouge dehors.

Bien sûr, les bruits m'attirent, tous les bruits, une voiture au coin de la rue, une conversation inaudible, un fracas soudain, ou mieux, lorsque, grâce à la chaleur, on peut ouvrir, un bruissement, le moindre. À force de regarder, j'ai appris à entendre. Tout. Les frôlements, les bruits rattrapés d'une maladresse, la plus petite agitation. Parce que je regarde.

La fenêtre m'a ouvert aux bruits. La plupart des gens, je sais, n'y portent pas attention. On ne sait même pas s'ils distinguent cette différence pourtant évidente entre un moteur à essence ou diesel. Perçoivent-ils le robinet d'une baignoire, son jet violent puis les clapotis qui suivent ? Pourtant la fenêtre ne donne jamais à voir une baignoire, un lavabo ou une garde-robe. Elle apprend à entendre. À percevoir, par exemple, ce bruit ténu d'une tenture qu'on glisse, qu'on ouvre.

Les gens ne regardent pas. Ils tirent les tentures, laissent aller un coup d'œil distrait, puis s'en retournent à des occupations insignifiantes. Ils n'entendent pas.

Ainsi, aucun des voisins, je le parierais, n'a remarqué le cliquetis particulier des tentures, celles d'en face, au premier, une jeune femme qui vit seule. Le soir, à heure fixe, elle ouvre, ce glissement métallique. Et puis elle reste là, ne bouge pas. Son regard ne va ni à droite ni à gauche, il ne bronche pas, ne fixe rien, un regard vacant, elle n'entend pas. Elle se tient immobile. Par la suite, elle ne prête aucune attention au frôlement soyeux du foulard qu'elle dénoue, ce bruit à peine perceptible du tissu qui glisse. Elle ne regarde nulle part, sinon droit devant elle, un regard inoccupé. On lui demanderait quel bruit — oh ! si ténu, je sais — fait le bouton d'un chemisier lorsqu'on le libère de son entrave, celui de son chemisier par exemple, et elle ne saurait rien en dire. Elle ne ferait même pas la différence entre le premier et le second bouton lorsqu'elle le défait à son tour, le second bouton puis le troisième, le quatrième.

Peut-être, tellement elle n'entend rien, peut-être ne s'est-elle même pas aperçue que son chemisier, le rose, compte six boutons, que lorsque ce chemisier, une fois ouvert et puis retiré avec lenteur, elle le laisse nonchalamment choir, sans doute ne s'est-elle même pas rendu compte que le chuintement de ce chemisier n'est pas du tout le même que celui d'un autre, le vert, le jaune ou, mieux encore, parce qu'il s'agit du plus discret, son chemisier blanc. Non, elle n'est pas là.

Elle reste à sa fenêtre, c'est tout. Rien de ce que pourrait lui apprendre une fenêtre ne lui est accessible. C'est pareil lorsqu'elle passe ses mains dans son dos, les deux mains pour l'agrafe du soutien-gorge qu'elle défait, cette hésitation qui lui vient, et puis le sous-vêtement qu'elle retire. Tous les bruits se ressemblent pour elle, un soutien-gorge ou un autre, c'est pareil.

Les bruits lui échappent, ceux des ceintures aussi bien, celles en tissu ou bien en cuir, certaines très belles, d'autres, bruyantes comme un achat récent. Mais elle défait machinalement les boucles, retire la ceinture, laisse tout tomber, la ceinture comme le pantalon ou bien la jupe, c'est selon, les bas et puis le slip, c'est si fin, le bruissement quasi inaudible d'un slip qu'on retire, c'est si particulier.

Seulement elle, debout devant sa fenêtre, elle n'apprend rien des bruits, des lumières et des ombres. Elle reste là en pure perte, comme paralysée, interdite. Et puis elle se retourne. On dirait qu'elle hésite, n'hésite plus, s'éloigne, sans se soucier des vêtements par terre. Elle s'éloigne, éteint.

Elle ne reviendra pas.

Pas avant le lendemain soir. À la même heure, exactement.

La soustraction

à E. P.

Je préfère le calme des cérémonies, le recueillement, à toutes ces agitations fébriles qui laissent au plus quelque vague souvenir. Avec l'âge, ma préférence pour la tranquillité des rites s'est accrue. Un peu comme si le rythme des jours, sans cesse accéléré, se jouait de moi, bernait les plus jeunes qui y souscrivent tête baissée, confiants, comme si à leurs yeux la cadence effrénée des tâches constamment redéfinies, et la certitude de ce qui est mentalement révisé au goût du jour, transformé, constituaient la garantie assurée d'un progrès, sans autre forme d'analyse, comme si les plus vieux ne représentaient plus que les signes vivants d'un entêtement, des obstacles à l'avancement des connaissances et du monde, les empêcheurs d'un bonheur imminent. De nos jours, la sagesse se donne un visage nerveux et, aux yeux des dirigeants qui cherchent à se maintenir au pouvoir, les rides ou la calvitie constituent les signes les plus facilement décelables de la régression, de la morosité, sinon d'une chute prochaine dans la sénilité.

D'ailleurs moi-même, à une certaine époque, j'ai considéré que les lieux de cérémonies, les églises, par exemple, n'étaient rien d'autre qu'un refuge pour ceux qui ne parviennent plus à faire face au réel. Mais les visages de la vie se sont succédé avec une telle rapidité, d'un extrême à l'autre, d'une évidence à son contraire, que j'ai appris à me taire et, ainsi, à m'épargner mises à pied, mises au rancart ou lynchages verbaux qui tissent avec la constance des bibliothécaires la trame de l'histoire sociale.

Peut-être est-ce le silence qui m'a de nouveau conduit dans ces lieux de calme, ces architectures stables de pierres lourdes que constituent les églises et les cathédrales, lieux de paroles connues d'avance dont l'agencement est à peine modifié d'une cérémonie à l'autre, ou alors ce bourdonnement silencieux de formules vraies sans prétention aucune à l'univers de la réalité, à son effervescence, qui m'aura ramené ici, dans la nef, les seuls bancs de bois qu'on trouve encore de nos jours et la succession des gestes, genoux par terre, ou assis puis debout, le regard vers des images vides, d'une autre époque, des statues rassurantes dans leur contenu absent, ces signes dénués de toute signification mais marqués de pérennité, quelque chose qui parviendrait à terminer une année sur le même mode qu'il l'aurait commencée. Entre ces murs, on se sent justifié d'être le même. Et ce ridicule qui, à l'extérieur, aux yeux des autres, nous atteint, ne nous entame pas ici, pas plus que les voix officielles qui vitupèrent contre les plâtres et la pierraille ambiante, intacts après chaque mode, chaque transformation majeure devenue désuète sitôt qu'elle s'impose, sitôt qu'elle convertit les médias.

Le décor des églises ne change pas, les paroles ne connaissent de modifications que mineures dans de simples artifices oratoires. Quand on pénètre en ces lieux, on reconnaît quelque chose. On a l'impression d'être encore là. On peut être tranquille, il s'agit d'un lieu privé d'événements. C'est si différent de chez soi où, au retour du travail, il arrive de croiser dans son propre intérieur un préposé qui vous explique pour quelles raisons, sans qu'on se soit embarrassé de vous en prévenir, on a repeint ou changé le mobilier ou renouvelé votre banque de bandes télévisuelles ou celles de votre zvèz.

Dans cette enceinte, rien n'a changé, vous êtes le même, cheveux gris, témen à la main, l'écoute respectueusement distraite pour l'oraison du jour.

* * *

Je les entends, là-haut. Quand ils font leurs paroles en même temps. Ou qu'ils ont leurs voix dans la mélodie avec les sons des grands tuyaux. C'est beau alors. J'écoute. Mais je ne monte pas, je ne vais pas avec eux. Malgré Marcus qui dit *tu peux venir si tu veux, tu viens quand tu le décides, il n'y a pas de permission à demander.*

Lui aussi, Marcus, il est beau. Il fait avec ses lèvres, parfois, une chose belle : il dit *sourire*. On ne peut pas prévoir quand il va le faire. Ça dépend de mes mots, je crois. Parfois je parle, des mots des mots des mots, et sourire ne lui vient pas. D'autres fois, à cause d'un mot, n'importe lequel, il fait le geste avec ses lèvres, sourire, pour rien, et je suis contente.

Mais je ne vais pas là-haut. Une fois une seule je suis montée. C'était facile. Depuis que j'habite ici, la porte ferme quand je veux. Mais elle s'ouvre aussi quand je veux. Je tourne la poignée et la porte s'ouvre. Quand je veux. Pas de permission à demander. Aussi cette fois-là, c'est à cause des voix. J'entendais qu'ils faisaient leurs paroles là-haut, tous ensemble, et puis les bruits des tuyaux c'est tellement beau cette fois que je ne peux me retenir et je tourne la poignée, la porte s'ouvre sans permission et j'avance dans le corridor, et les messieurs à robe me voient me laissent circuler sans permission et me font ces gestes des lèvres comme Marcus quand il est content d'un mot, personne ne m'empêche. Moi je passe dans le corridor et l'autre corridor après — ici, il n'y a pas de glauques un peu partout pour dire à la directrice *je passe dans le corridor pour aller à tel endroit* et le numéro de la permission —, j'aperçois l'escalier qui ne monte pas tout seul, il faut lever les jambes d'une marche à l'autre, alors je monte moi-même et c'est fatigant mais ce que j'entends est si beau tant pis pour les jambes et les genoux et la fatigue, je monte l'escalier paresseux jusqu'en haut, j'arrive dans une pièce à portes et les hommes à robe qui me voient ne disent rien quand je m'approche de la porte à voix, je tire la poignée et c'est pareil, sans permission sans glauque elle s'ouvre, la porte, mais lourde tellement, et je m'avance vers la place des voix, comme c'est beau, des hommes qui disent tous en même temps avec la mélodie des tuyaux. Marcus est là, lui aussi, il s'est assis — pas assis, je devrais dire —, il se tient sur les genoux comme les autres, il m'a regardée j'ai bien vu. Mais il ne bouge pas, ne fait rien pour me ramener, ne me dit pas d'ordre, même avec les yeux, rien. Si je le désire, je peux m'avancer jusqu'où je veux, au centre des hommes en cercle sur leurs genoux, là où on entend le mieux les voix et les tuyaux, c'est là que se trouve un homme en retrait, et lui il est beau aussi et il fait sa voix seule quand les autres écoutent et qu'il n'y a presque plus de tuyaux, il fait sa voix haute qui parle de la vie éternelle, je sais bien de quoi il s'agit — mamans m'en avaient parlé, c'est la vie mais plus long quand tu as mal — il dit *la vie éternelle* et tout et tout et tout, puis les voix reprennent alors ensemble, et ça devient si beau sans permission que j'écoute et ne me rends pas compte que mon

pipi a coulé le long de mes cuisses et par terre, je crois que
je rougis, j'ai peur sans savoir de quoi, je me fige sur place
et les larmes coulent, je suis perdue tellement je ne peux plus
bouger. Marcus se lève, il vient vers moi, il ne me fera pas
de mal je le sais depuis le début, il ne me frappera pas ne me
donnera pas de voix dure ou ces mots méchants, il vient vers
moi et je perds ma honte quand il me tend la main avec son
geste aux lèvres, je prends sa main et les tuyaux sont fiers de
nouveau quand, main dans la main, je vais avec Marcus et
nous sortons de là, Marcus revient avec moi, les escaliers les
couloirs la porte de ma chambre, ma chambre, il dit simplement, Marcus, une fois que j'ai changé ma culotte, il dit *parle
ma petite, dis-moi pourquoi ton pipi a pris la parole à la
place de ta voix.*

*   *   *

Depuis ma banquette, il m'est possible d'observer la nef,
le chœur, le maître-autel, observer ou ne pas le faire ; il suffit
de lever les yeux en direction du miroir incliné et alors je vois
la cérémonie mais inversée, la gauche se trouvant à droite
dans la glace, l'officiant le thuriféraire ses acolytes, je peux,
tout en leur tournant le dos, être des leurs par ma musique ou
me retrancher en moi-même et, avec mes doigts sur les
touches, être des leurs sans même y porter attention par la
simple présence de la musique, ce quelque chose d'à la fois
compact et volatile, les tuyaux qui vibrent, agitent l'air
ambiant l'atmosphère, on peut ici regarder sans en être, voir
ces hommes leurs rites, entendre et se mêler à leurs psalmo-
dies, être là et en soi à la fois. Il est si rare de se trouver en
des lieux privés d'événements. Ou presque.

Il y a bien eu quelques perturbations, par exemple cette
fois où, au beau milieu d'un office, dans le chœur, alors que

109

l'officiant commençait à peine l'homélie, une fille une petite s'est avancée depuis nulle part, elle serait descendue d'un rêve que ç'aurait été pareil, et la voici qui va au milieu du chœur, au centre du demi-cercle que forment les prêtres age-nouillés, elle s'avance et regarde avec ces yeux des enfants chez le confiseur, et alors en moi se produit ce qui n'est pas moi, mes doigts qui sur les touches faisaient le mode mineur, mes doigts sans que je le cherche passent au mode majeur, je n'y peux rien quand ils cherchent les intervalles de seconde, comme si c'était pour cette petite là-bas, au beau milieu du chœur, et mon pied sur les pédales glisse de la dominante à l'intervalle de septième, la voûte se meuble de notes qui troublent et resserrent l'harmonie, à présent la mélodie et la ligne de basse disent qu'il y a une petite là-bas, que nous faisons nôtre son rêve ; quelque chose, c'est certain, se passe pour elle, mais quand on regarde dans une glace, que la gauche devient la droite et l'inverse, on ne saisit pas tou-jours bien, sinon que la petite s'est arrêtée, soudain, prise, un peu comme si elle se trouvait embarrassée, interdite dans un moment difficile dont elle ne saurait plus se tirer toute seule, si bien qu'un des prêtres agenouillés — il s'agit de Marcus, me semble-t-il, mais le miroir gomme les pôles —, se lève, vient vers elle, lui tend la main. Et c'est seulement lorsque, ensemble, ils se retirent, c'est seulement à ce moment-là que nous est rendu le droit de respirer, que disparaît l'intervalle de seconde et que la pédale se réconcilie avec la tonale, avec le mode mineur.

Mais tout cela, peut-être s'agit-il simplement d'un rêve, d'une fantaisie qui se mêle au rituel pour en souligner la dou-ceur. Sans doute s'agit-il d'une simple fantaisie éveillée puisqu'ici, depuis des années, ne pénètre aucune femme, aucune fille. Ou presque.

Car me vient encore cet autre souvenir, ou cet autre rêve, comment savoir lorsque droite et gauche s'interchangent, comment démêler alors réel et fantaisie ? Le souvenir est d'autant plus trompeur qu'il se présente par à-coups, des images isolées, un montage discontinu, tantôt accéléré, tantôt ralenti à l'excès, avec des arrêts sur images, une pixilation désordonnée, comment savoir lorsque dans la glace, en cours de cérémonie, trois femmes s'avancent par l'allée centrale vers le chœur. Sans doute s'agit-il d'une invention de l'esprit puisqu'elles auraient l'audace de monter l'escalier central qui conduit au chœur, et les trois femmes se dirigeraient alors vers l'un des prêtres agenouillés — cette fois, pourtant, il s'agit de Marcus, j'en suis certain ! —, mais seul un mauvais rêve peut se permettre de tels abus, trois femmes qui, sans discrétion pas la moindre retenue, le plus petit respect pour la cérémonie en cours, trois femmes en direction de Marcus, elles haussent le ton, elles croiraient donc indispensable cet excès pour qu'il accepte de se lever, qu'il sorte sur-le-champ et disparaisse avec elles, derrière la porte de la sacristie, il ne peut s'agir, c'est certain, que d'une fantaisie de ma part, un de ces rêves qui laissent au rêveur un souvenir désagréable, un goût amer dans la bouche, l'impression étrange d'un esprit qui s'est égaré.

*   *   *

Jamais je n'ai entendu le cri de Marcus. Pas une fois, pas une seule. Pourtant il vient tous les jours dans ma pièce, il s'assoit et dit *parle ma petite je t'écoute parle*. Ou alors, parce que je n'ai pas chaque fois à lui dire, il pose ses questions, si j'ai fait pipi au lit, ce que m'a raconté mon rêve de la nuit, si j'ai eu des fautes dans ma dictée au crémen, quelles fautes ? Quand je n'ai pas la dictée parfaite, qu'une lettre m'a échappé ou alors qu'elles ne vont pas toutes sur l'écran dans l'ordre où je voudrais, il ne me gronde pas. Il regarde le désordre de mes mots, me pose des drôles de questions, il fait sourire ou pas, il s'intéresse et moi je n'ai plus peur, ma tête me serre moins.

Il ne crie pas, Marcus, quand je dis n'importe quoi, que je me tais ou me lève d'un seul coup et sautille sur place à cause des fourmis dans les jambes. Il attend que les fourmis passent, je me rassois moi-même et retrouve les mots et ça va mieux.

Parfois, je suis fatiguée qu'il écoute n'importe quoi de moi, je veux qu'il se fâche, je sors des gros mots, des mots sales, qu'il fasse sa colère comme les autres avant, comme mamans, et alors j'aurais la paix d'avant et les mots de ma bouche viendraient comme ils voudraient, ce serait moins fatigant que de les préparer pour Marcus. Même quand je veux la fâche de Marcus, il ne me la donne pas. Pas un cri, jamais, c'est un peu ennuyeux. Même avec les mots les plus sales.

Aussi un jour, comme ça, pour le réveiller, je me dis *je lui parle des voix cette fois on verra bien !* Et je lui rapporte ces paroles des voix dans ma tête, quand elles me viennent et me disent *frappe ta tête fort contre les murs, ici on ne t'attache pas alors frappe ta tête* ou encore *brise le verre et avale, ce sera plus simple après dans les limbes, avale les morceaux de verre* ou toutes ces choses qu'ordonnent les voix. Mais Marcus ne se fâche pas. Il ne fait pas sourire non plus. Il a l'oreille aux voix, lui aussi, il écoute les voix par ma bouche, à présent nous sommes deux à les entendre. Ma tête ne serre plus. Et puis cette drôle d'idée tout à coup, et je la dis à Marcus sans peur, je lui dis *je voudrais avoir un petit chat* et là, va donc savoir avec lui, Marcus fait sourire.

112

*   *   *

Je ne la lui ai pas donnée. On ne donne pas un enfant. Un enfant, c'est la chair de la chair, ça ne se donne pas. L'enfant appartient à sa mère.

Sauf que garder la petite ici, de ce côté-ci des choses, avec moi, ce n'était plus possible. À cause de ces crises idiotes, fréquentes, elle devenait un danger pour elle-même. Surtout depuis ce jour où elle avait tenté de se jeter du haut du vingtième.

Si bien que les autres mères se sont mises à craindre pour leurs propres enfants, leurs propres filles. Elles avaient peur que la petite et ses bizarreries ne déteignent sur les autres enfants, les leurs, qu'elle ne les entraîne à... danger. Elles me regardaient de haut, comme si j'étais responsable des anomalies de la petite, ses paroles discordantes, ses idées dangereuses. Elles disaient *voilà ce qui arrive lorsqu'on connaît un homme plutôt que de passer par un Centre de conception, voilà ce qui se passe quand on triche sur les règles et qu'on se laisse approcher.* Cette enfant, elles en parlaient comme d'une maladie, un risque de contagion, un péril pour leurs filles. Certaines même, devant les tentatives infructueuses des Centres en équilibre, certaines avaient suggéré une intervention chirurgicale, qu'on corrige ainsi les séquelles génétiques de ma fille, rectifiant en cela ce qu'elles appelaient mon *erreur de jeunesse.* Seulement je sais bien à quoi ressemble une enfant après une telle intervention : elle n'est plus rien, elle n'a pas d'avenir, on la confine aux tâches domestiques, deux semaines de vacances par année sur des plages surveillées et puis c'est tout. Je ne voulais pas de cela pour elle. Il s'agit de ma fille à moi ! Elle m'appartient.

C'est à ce moment-là que j'ai songé à Marcus. Les spécialistes d'ici, qui rencontrent parfois, lors de colloques *intra-muros*, ceux qui, chez les hommes, s'occupent de cas semblables, les spécialistes d'ici n'en disaient pas trop de mal. Elles s'étonnaient des résultats obtenus par Marcus auprès de patients plus difficiles encore que la petite ; et ce, sans internement, sans médication. Bien sûr, ajoutaient-elles, *il en profite pour inculquer aux malades ces idées suspectes des hommes*. Malgré tout, et même malgré le fait que Marcus appartenait en plus au clergé mâle, elles parlaient à mots couverts de ses résultats surprenants auprès de patients jeunes. C'était risqué, mais j'ai entrepris des démarches, j'ai pris une entente avec Marcus, par visigen.

Une nuit, j'ai éveillé la petite, je l'ai habillée de telle manière qu'on ne puisse deviner s'il s'agissait d'une fille ou d'un garçon, et je l'ai amenée avec moi. Je lui disais *tu te tais, si nous rencontrons une sentinelle tu te tais ; et si tes peurs stupides te prennent, tu n'en dis rien, tu les gardes dans ton cœur ; et si tes mains se mettent à trembler, tu les caches dans tes poches.*

J'avais prévenu Marcus, il nous attendrait au mur, de l'autre côté, à une heure précise.

Cette nuit-là, il avait plu, les rues étaient détrempées, il faisait froid. La petite me suivait sans comprendre. Elle se taisait. Je savais qu'elle avait peur. Il se tramait quelque chose, elle le devinait. Elle pleurait en silence. Au bout d'un moment — c'était encore loin du mur —, elle n'en pouvait plus. J'ai dû la prendre dans mes bras, la porter. Alors seulement, j'ai compris que ses souliers humides, ce n'était pas à cause de la chaussée mouillée. Elle avait trempé sa culotte, je me suis tue là-dessus.

D'une certaine manière, je craignais pour elle. Malgré tout le bien qui avait filtré sur ce Marcus, elle ne le connaissait pas, ignorait tout des hommes, du mur, de ce qui se passait de l'autre côté du mur.

Quand nous sommes arrivées au poste de contrôle, les choses se sont gâchées. À cause des sentinelles. Celles de chez nous. Je croyais que leur tâche consistait surtout à empêcher qu'on vienne ici depuis l'autre côté. Je me trompais. Il m'a fallu sortir mes papiers, exhiber mes titres, mon grade, ma fonction au gouvernement, prétexter un programme à l'essai et, finalement, allonger une partie de mes économies, pour qu'elles consentent à nous laisser franchir la limite.

Par la suite, les choses se sont passées comme dans un rêve. Un mauvais rêve.

Je me suis engagée sur la passerelle, la petite tout contre moi. Elle ne disait rien, me faisait mal tant elle se serrait contre moi. Elle ne pleurait plus. À mi-chemin nous attendait un homme. Je l'avais imaginé plus jeune. Il a dit : « Je suis Marcus. » Et, regardant la petite, il a ajouté : « Comment t'appelles-tu ? » Elle se taisait. À ce moment-là, j'ai dû lutter. Je ne voulais plus, ne songeais qu'à rebrousser chemin avec mon enfant. Un mot encore et je hurlais, qu'on me vienne en aide !

Mais lui, il se taisait.

C'est moi qui ai parlé. À la petite. J'ai tenté de lui expliquer. Dans des termes que j'ai oubliés, qu'elle a peut-être compris. Ça n'en finissait pas, je pleurais, elle pleurait, *il le faut je te le jure il le faut !* À la fin, j'ai posé la petite par terre, elle lui a fait face. Alors Marcus a bougé. Il n'est pas venu vers nous. Simplement, il s'est mis à sa hauteur à elle, il lui a redemandé comment elle s'appelait.

Elle m'a regardée, a hésité, lui a répondu. Puis, tout doucement, comme je le lui suggérais, elle s'est avancée vers lui.

Le reste de mon courage, je l'ai mis à ne pas fondre en larmes. Elle s'éloignait de moi, elle allait à lui. Elle se retournait, me regardait, le fixait de nouveau, s'avançait vers lui. Elle me quittait. Pour la première fois, elle me quittait, gauchement, dans son petit pantalon souillé. Pour me consoler, je me suis dit que plus tard, quand elle irait mieux, il serait toujours temps de réagir et de la lui soustraire.

* * *

Cette fois-là, j'ai été choqué. Profondément. Comme toujours, je venais à l'église en quête de ce calme qui, partout ailleurs, fait défaut. Plus que tout, je comptais sur l'absence, qu'il ne se passe rien, que rien ne vienne perturber la paix de cette enceinte ou ne risque de compromettre l'avenir de ces lieux.

Et puis il y a eu cette chose qui m'a heurté au plus profond. Car je connais bien les lois, les édits et les règlements, je suis bien placé pour savoir que personne, de ce côté-ci du mur comme de l'autre, personne ni aucun lieu ne peut se placer au-dessus des lois, que la transgression ne reste jamais secrète ou impunie. Aussi, quand j'ai vu, quand j'ai compris ce qui se passait, je m'en suis trouvé profondément révolté.

Cela m'est venu d'un seul coup. Je regardais distraitement la cérémonie, le chœur, j'avais l'esprit délicieusement ailleurs. Lorsque soudain, malgré moi, mon esprit m'a ramené à ce que venaient de croiser mes yeux : un enfant ! Dans le chœur, au beau milieu de l'office circulait un enfant qui ne se préoccupait pas le moins du monde du rite sacré. Un peu comme si, au travers des paroles et des gestes solennels, il déambulait là, inconscient, à la recherche d'on ne sait trop quoi ou bien simplement de rien, un enfant égaré en ces lieux. Ici, un petit garçon ici ! Car c'est alors ce que j'ai cru.

Comment aurais-je pu imaginer autre chose, depuis l'édit du mur !

J'ai bien sûr regardé autour de moi, et c'est à ce moment que s'est produit ce drôle de phénomène : l'impression étrange d'être le seul à noter la présence du petit. Ou plutôt le côté incongru de cette présence. Car ni l'officiant, le thuriféraire ou ses acolytes, ni les concélébrants, ni même les autres fidèles disséminés çà et là dans la nef, personne ne semblait remarquer ce jeune étranger. Lui, par contre, il regardait partout, s'arrêtant à l'occasion devant certains — j'ai peut-être imaginé qu'il s'adressait à eux. Et puis, par l'escalier central, il est passé du chœur à la nef, il est venu à nous avec ces hésitations typiques de qui cherche quelque chose. Il s'avançait par l'allée centrale sans gêne ni haine, regardant à gauche et à droite entre les bancs. J'ai remarqué alors qu'il parlait à certains fidèles ; pis, qu'on lui répondait.

Et puis, en toute quiétude, certain de son fait, il est venu jusqu'à moi, s'est arrêté, m'a regardé. C'est seulement à ce moment-là que je l'ai compris : ce petit, c'était une fille ! Mon embarras lui semblait parfaitement étranger, voire inimaginable. Elle s'est approchée et, après une pause, elle m'a dit tout bas, mais assez fort pour que je la comprenne *quel est ton nom ?* J'étais pris de court, littéralement pris de court. *Tu as un nom ; à présent, je sais que chacun a un nom. Pourquoi tu refuses de me le dire, tu en as honte ?*

Que répondre à une enfant qui vous demande si vous avez honte de votre nom ?

Alors elle a enchaîné : « Je cherche mon petit chat. C'est un malcommode qui fuit sans cesse, qui se cache tout le temps. Peut-être l'as-tu vu qui se sauvait par ici ? »

Un chat dans une église ! Décidément, j'aurais tout entendu.

117

Alors, dans le chœur, je vis l'un des prêtres qui s'était levé, Marcus je crois, je vis qu'il s'était avancé jusqu'à la balustrade, puis arrêté, et qu'il regardait dans notre direction. Il me souriait.

* * *

D'abord j'ai eu peur. Très très. À cause des voix. Pas celles dans ma tête. Les vraies voix. Là-haut, il y avait ces cris, je les entendais de ma pièce. Des cris haut perchés. Ce n'étaient pas les messieurs à robe, sûr. Ils ont leurs voix plus graves beaucoup ; et puis ils ne crient pas. J'ai deviné, plutôt que j'ai reconnu. C'étaient mamans. Après, j'ai reconnu. Quand la porte s'est ouverte d'un seul coup, que j'ai vu, c'était maman. Très colère. Et pas toute seule. Deux autres mamans se tenaient dans la porte, mais sans entrer. J'avais mon cœur qui battait très fort, car maman était là et mon désir de ses bras, qu'elle me serre contre elle et dise *mon bébé mon bébé*. Mais la crainte aussi, à cause de la colère de ses yeux, j'ignore pourquoi, je n'ai rien fait. Je n'osais pas bouger, je voyais maman et j'avais dans ma tête la voix de Marcus quand il dit *tu n'as pas à avoir peur ou mal quand tu n'y es pour rien*. Et puis j'ai entendu la vraie voix de Marcus, il venait dans le corridor, il s'approchait avec les bruits de ses pas, je les reconnais à présent. Lui aussi, il est entré dans ma pièce. Il n'avait pas le sourire. Il regardait maman, elle en faisait autant pour lui.

C'est maman qui a parlé la première. Ou plutôt non. Il a dit *qu'est-ce qui se passe ? qu'est-ce que c'est que ce cirque ?* Il dit ce même mot cirque quand chat fait son malcommode, je le connais Marcus à présent, je connais ses mots.

Alors maman a parlé. Ils sont compliqués, les grands, on

ne comprend pas à tous les coups. Elle parlait des crises. J'aurais voulu lui dire que je n'en faisais presque plus, que je suis propre, lui parler de chat qui est un amour malcommode. Mais quand elle fait ces yeux-là, les mots restent dans la bouche, la tête serre. Marcus écoutait, lui. Il avait l'air de comprendre. J'ai fait comme lui, calme. J'ai entendu sur les crises les mots de maman, des mots qui n'ont plus de sens parce que moi, je n'en fais presque plus. Elle parlait de quelque chose, disait j'*en ai besoin j'ai besoin d'elle autrement les crises vont revenir.* Les deux autres dans la porte faisaient l'impatience, celles qui sont pressées ou en danger, elles voulaient s'en aller je crois. À la fin, maman avait les larmes et ces mains qui tremblent toutes seules.

J'ai eu peur.

Marcus s'est alors mis à parler, des mots de grandes personnes. J'ai pensé au chat, qu'il ne comprenait pas toujours quand je lui parlais. Moi aussi, j'avais envie de pleurer.

Et puis Marcus s'est tourné vers moi. C'est à maman qu'il parlait encore, *pourquoi ne pas la consulter ? lui demander ce qu'elle désire ?*

J'ai baissé les yeux. C'est là que j'ai vu les chaussures de Marcus, que j'ai remarqué ses chaussettes, qu'elles n'étaient pas de la même couleur, qu'elles ne faisaient pas la paire. Mais ce n'était pas le moment de rire.

NOTICE BIBLIOGRAPHIQUE

Les nouvelles suivantes ont déjà été publiées, sous une forme parfois différente : « Méfiez-vous des cartomanciennes » dans *Saignant ou beurre noir ?* éditions de L'instant même, 1992 ; « Zap » dans *XYZ*, n° 29, printemps 1992 ; « Le refuge » dans *XYZ*, n° 28, hiver 1991 ; « Les vacances » dans *XYZ*, n° 27, automne-août 1991 ; « Mazìn taïno » dans *XYZ*, n° 26, été-mai 1991 ; « L'œil tranchant » dans *Silences improvisés*, éditions XYZ, 1991 ; « Le monde aurait un nom » dans *Le Sabord*, n° 25, printemps/été 1990 ; « La soustraction » dans *Demain l'avenir*, éditions Logiques, 1990 ; « Strip-tease » dans la *NBJ*, nos 79-80, 1979.

I

Une langue étrangère

L'écriture de la nuit   11
Mazìn taïno   17
L'album de photos   25
Visa pour le réel   31
L'œil tranchant   39

II

Ce serait autre chose

Strip-tease   51
Zap   57
Les vacances   63
Le téléphone   67
Méfiez-vous des cartomanciennes   75

III

Ça dépend des mots

Le monde aurait un nom   93
Le refuge   99
Les fenêtres   101
La soustraction   105

Chez le même éditeur :

ACHEVÉ D'IMPRIMER
EN MARS 1993
À L'IMPRIMERIE D'ÉDITION MARQUIS
MONTMAGNY, CANADA